高文研

◆――はじめに

世界が平和になってほしい、戦争なんてなくなればいい。人間が殺しあうのでなく、争いはすべて話し合いで解決すればいい。そう思う人は多いだろう。でも、現実は厳しい。武器を手放すことはできないと、あきらめがちだ。

いや、あきらめるのは早い。軍隊を完全になくした国が、現にある。この国は70年以上にわたって、もめ事をすべて話し合いで解決してきた。さらに他の国の戦争を終わらせ、世界に平和を広めている。しかも軍隊をなくしたとき、軍事費をそっくり教育費にまわした。このため貧しくて小さな国なのに、世界にもまれな教育・福祉国家になった。

この国、それは地球の反対側の中米にあるコスタリカだ。日本もコスタリカのように軍隊をなくして浮いた防衛費を教育や福祉にまわせば、幼稚園から大学まですべて無料にできる。世界の国がコスタリカと同じようにすれば、世界平和は夢ではない。

そのためには、軍隊を持つことが当たり前、という考えを捨てることだ。軍隊を持たないと安心できない、という考えは逆ではないか。

軍隊を持つと相手は身構える、つまり敵をつくる。敵より強くなろうと軍備を拡張すると、相手もそう考えて軍拡競争になる。やがて、ささいな誤解がもとで衝突する。兵器が発達した今日、それは大規模な殺戮、悲劇を招く。そのうえ武器を持つ者は自分が強くなったように錯覚し、権力を握ろうと自国でクーデターを起こしがちだ。そう、軍隊を持てば安心するどころか、反対に日々、不安に陥るのだ。

しかも軍事費に予算をとられて医療や教育、福祉や年金など本来の生活に必要な費用が削られる。生きていくことさえ難しくなる。すべてはお国のためにと言われ、個人の自由も奪われてしまう。こんな国が望ましい未来だろうか？

そんなことはわかっている、でも、現実はそうはいかない、という人もいるだろう。ではなぜ、そういかないのか？　そうする努力をしていないだけではないか。この世の中は、放っておいて平和に向かうわけではない。人類はそう考えて、平和を創造する道を歩んできた。

１９２８年のパリ不戦条約で人類は戦争を違法化した。それから約１００年。戦後には国連憲章により国際紛争を平和的手段によって解決し、武力による威嚇や行使は禁じられた。２０２１年には国連核兵器禁止条約が発効し、世界の大きな流れは平和に向かっている。21世紀の今、軍隊を持たないことを前提に平和を築くという発想をしよう。

平和は黙っていてできるものではない。平和を創造するという積極的な姿勢が必要だ。それをコスタリカは国内だけでなく世界に向けてやってきた。コスタリカにならって日本や世界の国が努力すれば、理想は実現できる。コスタリカを知れば、希望が湧いてくる。

平和のほかにコスタリカが存在感を示したのが、２０２２年に開かれたサッカーのワールドカップだった。強豪ドイツとスペインに勝った日本チームが、大方の予想を覆してコスタリカに負けた。コスタリカの名をこのとき初めて聞いた人もいるだろう。どんな国？　国を挙げてサッカーに力を入れているの？　という質問を私自身、あちこちから受けた。

国を挙げてという言葉は、この国にそぐわない。全体主義とは真反対のお国柄だ。「チームの勝利のために個性を封じる」という発想ではなく、選手一人ひとりが個性を発揮することを優先し、その結果としてチームが勝てばいいという考え方だ。

コスタリカと日本のチームの違いを簡単に言えば、自立とコミュニケーションの能力だろう。コスタリカの教育ではふだんから一人ひとりが個性を持ち自立すること、話し合いでお互いが相手を理解し合うことを重視する。瞬時の判断が要求されるサッカーで欠かせない二つの要素が小さいころから身についている。ブラジルやアルゼンチンなどサッカー大国がひしめく中南米で、小さなコスタリカが大きな力を発揮できたのは、こうした背景があるのだ。

平和を考えるときも、日本ではすぐに国家や世界の平和を頭に浮かべがちだ。まるで自分が首相になったように国家管理を考える。コスタリカはまったく違う。平和の出発点が個人だ。自分との平和、他人との平和、自然との平和、の三つの平和を幼稚園のときから教える。平和でまず大切なのは自分自身の平和をどう築くかで、自分が抱えている問題をポジティブに解決することがすべての平和の出発点だという。それを聞いただけでも、人生や社会への向き合い方が日本とは違うのがわかるだろう。

コスタリカが優れているのは平和や教育だけではない。人権の面でも世界の最先端を行く。自分の人権が侵されたと思えば小学生でも憲法違反と訴える。人権と民主主義を小学校に入学した日から学び、どんなささいな人権違反も見過ごさない。自分の人権だけでなく他人の人権にも敏感で、大勢の難民を受け入れてきた。ここも日本とはまったく違う社会のあり方だ。

さらに自然の環境が保たれるよう、世界に先駆けて環境保護に乗り出し、エコツーリズムを生み出した。いわば「地球の人権」にも目を注ぎ、持続可能な地球のための政策を半世紀も前から実施しているのだ。

北欧の先進国ではなく、米国や西欧の経済大国でもなく、中南米の貧しい小さな開発途上国にどうしてこのような社会が実現できたのか。それを知ることで競争社会、格差社会、さらに軍事国家となりかけている日本を立て直すヒントが得られるだろう。

今の日本をどうしたらいいのか。目指すべき具体的な未来像が見えないという人にとって、同じ地球上のコスタリカでここまで実現できている実例を見ることは、大いに励まされるだろう。

平和も幸せな社会も、黙っていては実現できない。創り上げなければならない。そのための指針をコスタリカは示してくれる。途上国なのに世界に先駆けて平和、環境、人権、教育の大国となった不思議の国コスタリカを探検するときめきの旅に、いざ出発しよう。

目次

2 「平和の輸出」を実践

3 民主主義の現場を見る

4 自立のための教育

5 小学生も違憲訴訟——人権国家

第2章　人間にも自然にも優しい環境と社会

1　環境の平和

2　北欧並みの社会保障

3　コーヒーが奏でた歴史

第3章 もっと深く知ろう、コスタリカ

終章　日本への教訓

装丁＝商業デザインセンター・増田 絵里

カナダ
アメリカ合衆国
キューバ
メキシコ
コスタリカ
ベネズエラ
コロンビア
エクアドル
ペルー
ブラジル
ボリビア
チリ
アルゼンチン
0
2000
4000
Km
0
500
1000
km
バハマ
キューバ
ドミニカ
メキシコ
ジャマイカ
ハイチ
ベリーズ
グアテマラ
ホンジュラス
ニカラグア
コスタリカ
パナマ
ベネズエラ
コロンビア
エルサルバドル

ニカラグア湖
ニカラグア
カリブ海
リベリア
コスタリカ
アラフエラ
プンタレナス
エレディア
サンホセ
カルタゴ
プエルト・リモン
パナマ
北太平洋
0
100km

◆コスタリカの歩み◆

1502年	コロンブスが第4回目の航海でコスタリカ沖の島に上陸
1542年	スペイン・グアテマラ総督府に編入
1821年	スペインから独立、中米連邦の州に
1838年	中米連邦から脱退
1840年代	コーヒー輸出ブーム
1848年	コスタリカ共和国として正式に独立を宣言
1856年	米国人ウォーカーの侵略に対抗する国民戦争で勝利
1871年	憲法を制定。初等義務教育の無償化を盛り込む
1877年	死刑を廃止
1884年	カトリックの司教と修道会を追放、政教分離
1889年	選挙の結果をめぐって民衆蜂起、初の野党勝利
1897年	国立劇場が完成
1940年	カルデロン大統領が社会福祉政策を行う
1948年	内戦でフィゲーレスの国民解放軍が勝利、軍隊の廃止を宣言
1949年	現行憲法を制定、施行、軍隊の廃止を明記。第2共和制の開始
1951年	国民解放党の設立
1955年	ニカラグアから武装集団が侵略、撃退
1980年	国連平和大学を創立
1983年	永世・積極的・非武装中立を宣言、キリスト教社会連合党の設立
1987年	アリアス大統領が周辺3か国の内戦を終結させてノーベル平和賞受賞
1989年	憲法裁判所の制度を導入
1997年	米インテルがコスタリカに進出
2004年	大学生のロベルト・サモラ君が大統領を憲法違反で訴えて勝利
2010年	ニカラグアと国境紛争、国際司法裁判所の裁定で勝利
2013年	国連でアリアス元大統領主導の武器貿易禁止条約が採択、2014年発効
2014年	コスタリカ議会が日本とコスタリカにノーベル平和賞を与えよと決議
2017年	コスタリカが提案した国連核兵器禁止条約が採択、2021年に発効
2019年	温室効果ガス排出を2050年までにゼロにすると宣言
2020年	コロナ禍に襲われ、2023年までに約9000人が死亡

序章

軍隊をなくしたら、豊かになった！

「兵舎を博物館にしよう」のスローガンの下、国立歴史博物館となった元軍司令部＝ 2015 年、サンホセ

※実現したカントの夢

空中に止まって見えるハチドリ、世界一美しい「幻の鳥」ケツァール、愛嬌(あいきょう)あるナマケモノなどを間近に見られる自然。「純粋な人生」と声を掛けあい難民を排除しない優しい社会。平和だけでなく教育や人権に力を入れる、ときめきの国。ちょっと遠いけれど行ってみよう。

コスタリカは赤道より少し北側の熱帯にある。アメリカ大陸の中央部で人口は約520万人。国土の大きさは北海道の6割ほど。最近ようやく工業化してきたものの、基本的にはコーヒーやバナナをつくる農業国である。

日本からコスタリカに行くのに直行便はない。飛行機でいったんアメリカの南部の都市に飛び、そこで乗り換えて南下するのが一般的だ。たとえば成田空港からテキサス州のダラスまで11時間半、ここからコスタリカの首都サンホセまで4時間かかる。なにせ地球の反対側だ。でも、日本を夕方に出発しても同じ日の夜に現地に着ける。時差が15時間あるからだ。

首都サンホセの空港で大きなポスターが迎えてくれた。濃い緑の森林に豊富な水量の滝が流れ、赤、青、黄色の極彩色の大きなくちばしをもつ鳥が樹にとまる図柄だ。「世界で最も幸福な国へ、ようこそ」と書いてある。そう、この国は「世界で一番、幸せな国」と呼ばれる。自分で勝手にそう言っているのではない。国連やヨーロッパのNGOの調査で、何度もそう認められた。

今の憲法は1949年に制定された。その第12条は「常設の組織としての軍隊は禁止する」だ。

その言葉通り、本当に軍隊をなくした。自衛隊のような組織もなく、この国は完全に非武装を貫いている。隣国との紛争もあったが、国際法廷に訴えて話し合いで解決する方法を貫いてきた。

しかも自分の国で平和を保つだけでなく、世界に平和を広めている。隣接したニカラグアなど周囲の三つの国の内戦を終わらせて大統領がノーベル平和賞を受賞した。国連核兵器禁止条約を提案したのも、この国だ。国は小さくても世界の平和に尽くす役割は大きく、平和の見本として世界から尊敬されている。

今から２００年以上も前にドイツの哲学者カントは、どうしたら世界が平和になるかを考えて『永遠平和のために』という本を書いた。そこには「人間の自然状態は戦争状態である」として「平和状態は新たに創出すべきものである」と書かれている。放っておけば人間は戦争をするので、努力して平和を創り出さなければならない、というのだ。

カントはその中で、世界が永遠に平和になるために必要な６つの項目を挙げた。その第３番目が「常備軍は、時とともに全廃されなければならない」だ。なぜだろうか。

ある国が軍隊を持っていると、周辺の国は攻められるのではないかと不安になって軍備を増やす。お互いが疑心暗鬼になり無制限な軍備の拡張競争になる。やがて国境地帯で領土争いが起き、軍事費が経済を圧迫して他の国の富を奪おうとする。世界の戦争はそうやって起きた。そもそも軍人の仕事は人間を殺すことで、軍隊の存在そのものが人間性を失うことになる。だから軍隊はなくすべきだ。カントはそう考えた。

自ら軍隊をなくす勇気がある国がこの世に現れないものか。カントの夢を最初にかなえたのが日本だ。１９４６年に公布した日本国憲法で、世界で初めて軍隊を捨てる国家になることを宣言した。人類の歴史上、画期的なことである。ところが、その4年後に警察予備隊が生まれ、まもなく自衛隊という実質的な軍隊になった。

日本でいったん消えた夢は、コスタリカでよみがえった。

※兵舎を博物館にしよう

コスタリカの首都サンホセは標高１１７０メートルで、軽井沢のように小高い高原地帯にある。このため熱帯なのに涼しくて過ごしやすい。街の中心部に要塞(ようさい)のような建物があり、壁には銃弾の跡が残る。元は軍の司令部だった。軍隊を廃止したとき「兵舎を博物館にしよう」というスローガンの下、要塞を国立歴史博物館に変えたのだ。

正面の壁に壊れた跡があり、1メートル四方の緑色の石の記念碑がある。白い文字で「武器は勝利をもたらすが、法律のみが自由をもたらすことができる」とスペイン語で彫ってある。平和憲法を制定したときの指導者ホセ・フィゲーレスの言葉だ。立憲主義による国づくりの宣言だ。

１９４８年12月1日、フィゲーレスはここでハンマーをふるい、要塞の壁の一部を壊した。軍隊を廃止する象徴的な行動だ。彼はそのあと演説し「国軍の解体」を公式に宣言した。碑文の最後に「この行為が軍事支配に対する文明の勝利を確実なものとした」と書いてある。

この年の初め、コスタリカでは同じ国民どうしが武器を持って戦う内戦が起きた。きっかけは大統領選挙だ。現職の大統領側が勝利を宣言したのに対し、不正だと主張するフィゲーレスが国民解放軍を率いて政府軍と戦った。５週間の戦いで４千人以上が死亡した。

内戦に勝って実権を握ったフィゲーレスは大銀行や電力を国有化し、西欧型の社会民主主義に基づく改革を進めた。女性や黒人の参政権を認めるとともに、軍隊を禁止することを新しい憲法に盛り込んだ。コスタリカが将来にわたって軍国主義に向かう道を閉ざしたのだ。国民はそれを歓迎した。

フィゲーレスは１９９０年に亡くなったが、私は夫人のカレンさんから当時の状況を聴いた。カレンさんは「政府の中心にいた夫は予算を考えました。今持っている予算はとても少ない。それを軍隊に使うか、それとも直面している問題に使うか、と考えたのです。答えは一目瞭然（りょうぜん）でした。大きな反対もなく、みんなが一致して軍隊の廃止に向かったのです」と語った。

平和の理念のためだけで軍隊を廃止したのではない。もっと現実的だった。軍隊を持っていたとき、軍事費が国家予算の30％を占めていた。貧しい開発途上国なので予算が乏しい。いつそのこと

軍隊を廃止したときの状況を語るカレン・オルセンさん＝2012年、サンホセの自宅

軍隊をなくし、浮いた費用で国を発展させようと考えたのだ。普通、どこの国も軍隊を持つのが当然だと考えるが、コスタリカはその常識を覆した。

軍事よりも直面している問題、それは何だろうか。産業の発展や国土の開発というなら、多くの国にも見られる。コスタリカがすばらしいのは、廃止した軍事費をそのまま教育費にあてたことだ。もちろんそれまでも教育費はあった。その分を医療や福祉の費用に回した。このため貧しい開発途上国なのに、北欧並みの教育、福祉国家に成長した。

もしコスタリカが軍隊を廃止していなかったら、というテーマで、コスタリカ大学が２０１８年に研究を発表した。その場合、一人当たりのＧＤＰ（国内総生産）は今より40％も少なくなっていただろうという。軍隊を廃止したおかげで、社会は飛躍的に豊かになったのだ。

※攻められない国づくり

しかし、軍隊を持たないで、他国から攻められる心配はないのだろうか。その点もきちんと手を打っている。

コスタリカが他の国を攻めることはないが、侵略されたら反撃する。敵の領土に攻めていく軍隊はないが、自国の領土を守る組織はある。国境警備隊と警察だ。彼らがまず立ち向かう。警察官は６５００人、国境警備隊は３３００人、合計で９８００人。国境警備隊の武器は自動小銃や迫撃砲など防衛のための小火器だけだ。戦車などない。軍艦もなくボートだけ。戦闘機もなくセスナ機とヘリコプターで上空を監視する。これでは軍隊とは言えない。

ちなみに国境警備隊は軍隊とは違う。世界の国は三段階で武装組織を持っている。第　段階として社会の治安を守る警察、第二段階で国境を守る国境警備隊、そして第三段階で他国と戦う組織としての軍隊だ。コスタリカは警察と国境警備隊までしか持っていない。日本は治安を維持する警察、国境を守る海上保安庁の上に第三段階で他国と戦う自衛隊を持っている。自衛隊は軍隊ではないと国内で言われるが、国際的には完全に軍隊と見られている。

武装の貧弱なコスタリカの国境警備隊で、他国の強力な軍隊の侵略に対抗できるとは思えない。コスタリカはそもそも武力で対抗するのでなく、平和な話し合いで問題を解決する方法を整えた。対策は二つある。まず、アメリカ大陸の国々が加盟する集団安全保障条約に加入した。加盟している国が侵略されたら、みんなでその国を助ける仕組みだ。実際、コスタリカは１９４８年と１９５５年に隣のニカラグアから侵略されたが、国境警備隊が侵略軍を食い止める間、条約によって中南米の国々がコスタリカに味方して兵器や軍事顧問団を派遣する構えを見せたため、侵略軍は手を引いた。

その後、１９８３年には中立を宣言した。だから今は集団安全保障に頼るのではなく、もっぱら対話による解決である。国際法に訴えて平和解決を図るのだ。

ニカラグアとの間で２０１０年に国境問題が起きニカラグア軍が国境地帯を占拠すると、コスタリカはオランダのハーグにある国際司法裁判所に訴えた。法廷で歴史的な証拠を示して勝訴した。ニカラグアは世界を相手にするわけにはいかず、軍隊を引き揚げた。このようにしてコスタリカは軍隊を持たずに70年以上、平和を保ってきた。

軍隊がないことを国民はどう思っているのだろうか。地方の街を歩いていた時に向こうからかばんを下げた少女がやって来た。女子高校生だ。彼女に突然、質問した。「あなたの国に平和憲法があるのを知ってる?」。彼女は「もちろん知ってます」と答えた。私は「侵略されたらどうするの? あなたは殺されるかもしれない。それでもいいの?」と聞いた。

彼女はすぐに「コスタリカはこれまで世界の平和のために尽くしてきました」と語った。過去30年間にわたってコスタリカが国際社会で平和のために何をしたか、例を挙げてとうとうと述べた。そのうえで「この国が侵略されたら、世界が放っておかない」と断言した。さらに言った。「私は、歴代の政府が世界の平和のために尽くしてきたことを、一人の国民としてとても評価しています。私は、自分がコスタリカ人であることを誇りに思っています」

外国人の記者に道端でいきなり問われた高校生が、自分の国の憲法と平和政策について詳しく語り、自国を誇る。素晴らしいではないか。日本もこんな国でありたい。世界のすべての国がコスタリカのようであれば、世界平和は実現できる。彼女の笑顔と瞳を見つめながら私は心底、そう確信した。

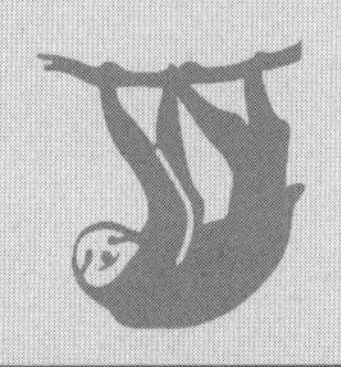

第1章

平和、民主主義、人権大国

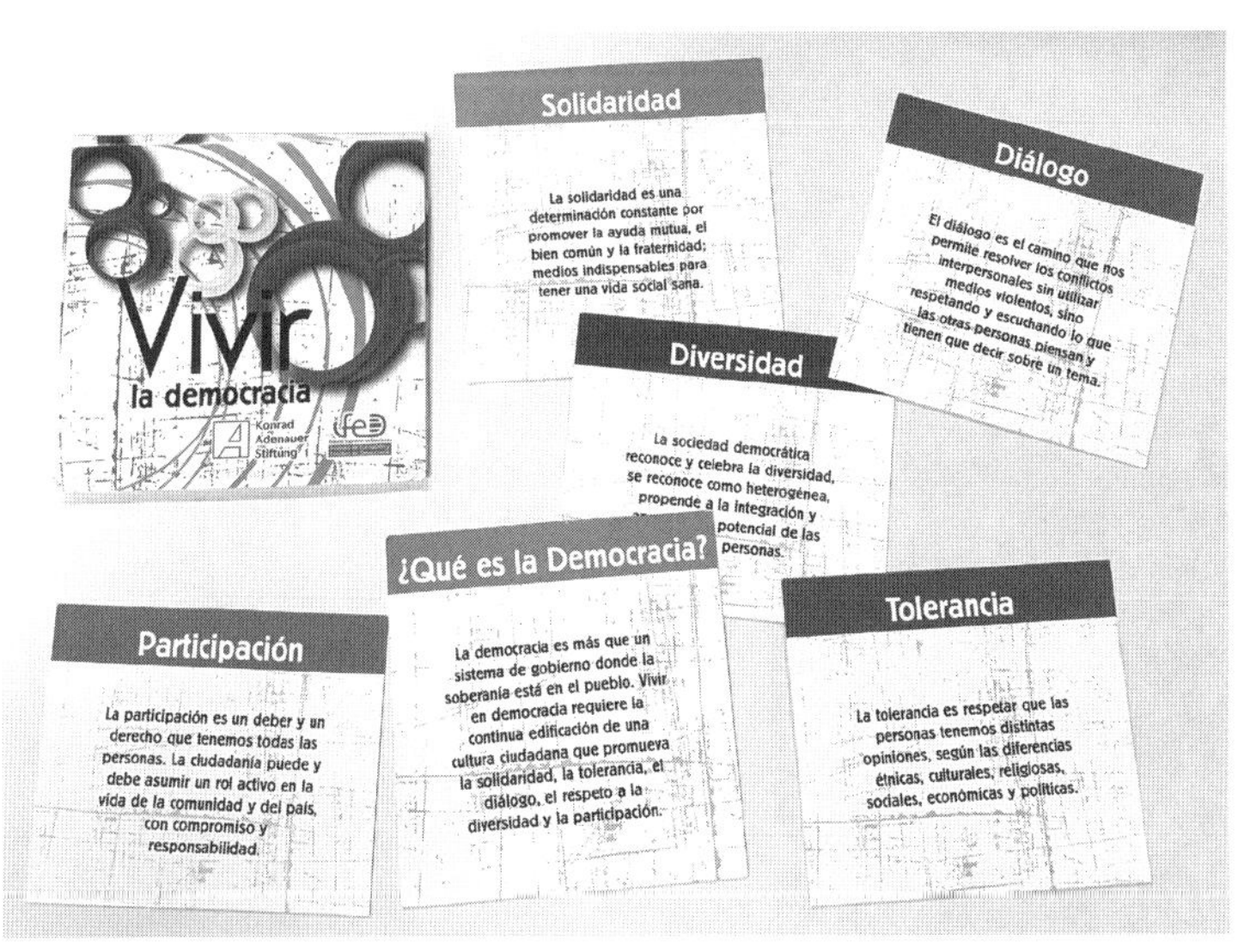

民主主義を教えるために小学生向けに作られたカードの教材

1 純粋な人生～コスタリカとの出会い

※あなたは大切な人だ

コスタリカを代表する女性が、先に紹介したカレン・オルセンさんだ。1933年にデンマーク系アメリカ人として生まれ、2023年には90歳になった。この国が軍隊をなくしたさいの最大の功労者、ホセ・フィゲーレス大統領と結婚してコスタリカ人となり、彼女自身も政治家になった。平和憲法が生まれたころのコスタリカの国情、そして今の日本の状況も知っている数少ない人だ。2003年に来日して講演したので聴いた人もいるだろう。

「コスタリカに学ぶ旅」というスタディツアーを呼びかけ2012年、同行者とともに首都サンホセにあるカレンさんの自宅を訪問した。天井まで本がびっしり詰まった書斎で、白いブラウス姿のカレンさんと向き合い、2時間以上も話をうかがった。淡々と途切れずに話す言葉の端々に、鋭く心に突き刺さる文句がある。

コスタリカではなぜ、軍隊廃止に向かえたのか。そこで彼女が強調したのは教育の力だ。「教育を受けた人が教育の重要性をわからせたから、軍隊を持たないでいられたのです。教育を受けた者だけが将来を見据えられるのです」。つまり国民的な教育水準の高さがあって初めて、平和憲法が理解され維持されてきたという。

改憲に向かおうとする今の日本の状況について語った。「日本を守るために軍隊を持つと言うけれど、武力が拡大すれば今の友はやがて敵に変わります」。自衛のためと言いながら軍拡することが戦争を引き寄せることに、なぜ気が付かないのかと言いたいのだ。

「たくさんのお金をかけて軍隊を作って武器を買い、その金を国民が負担する。そうやって作った軍隊にあなたの子がとられて戦場で死んだら、あなたはどう感じるでしょうか。私たちの国は軍隊に回す費用を教育に回しました。同じ費用を教育や文化、住居の確保に使うのと軍隊に使うのとでは、どちらがいいでしょうか、考えてほしい。軍隊を持つということは、常に人が殺される危険にひんして暮らすことです」

「日本の若者に問いたい。兵士になりたいか、いい教育を受けたいか。兵隊になって上官から怒鳴られ人殺しをやらされるのと、人生で自分のモチベーションを見出すのと、どちらがいいか」。そう言って私たちが日本の若者にどう接すればいいかまで示唆した。

「若者に、あなたは大切な人だと語りかけてほしい。あなたはあなた自身にも国にも社会にも大切な人であって、つまらない戦争で命を失ってほしくない、と。私たち一人ひとりが少しずつ変えれば世界は変えられる。誰にも行くべき場所があるが、それは戦争ではない。あなたはここにいなければならない、と」

カレンさんは「この世界は一人では変えられない。でも、一人からしか変えられない」と、一人の力を強調した。

このあと、驚くことが起きた。同行した初老の男性が突然、ひざまずいて嗚咽しながら語ったのだ。「私は40年間、国のために働いてきました。しかし、明日からは人々のため、社会のために働きたいと思います」。裁判官を定年退職した人である。その場にいたみんなも同じ気持ちだったろう。拍手が湧いた。

※銃をとる国と鉛筆を持つ国

平和な日本から平和なコスタリカに行っても、平和の良さはよくわからない。しかし、戦争をしている国からコスタリカに行けば、平和がいかにありがたいかを肌で感じる。

コスタリカを私が初めて訪れたのは１９８４年だ。当時は南米ブラジルにある朝日新聞サンパウロ支局の支局長をしていた。日本から見ると地球の反対側にアメリカ大陸が広がる。その中でアメリカ合衆国より南、メキシコから赤道を越えて南極に近いチリやアルゼンチンまで、広大な地域に伸びるのが中南米だ。国が33か国もある。サンパウロ支局はそのすべてを担当していた。しかも支局員は私だけ。地球の陸地面積の7分の1を占め、人口が4億人もいる広大な地域を、たった一人で受け持った。

そのころ中南米で一番の問題は戦争だった。中米のニカラグアなど三つの国で内戦が起き、政府軍とゲリラ側に分かれて同じ国民どうしが殺しあっていた。私はブラジルから飛行機に乗り、この地域に毎月のように取材に行った。直行便がないのでいったんアメリカまで北上し、乗りかえてメキシコに飛び、また乗りかえて南下しなければならない。行くだけでまる1日かかる。片道だけで日本からヨーロッパの西の端ポルトガルまで行くほどの距離があるのだ。

中でも世界の焦点だったのがニカラグアだ。革命で生まれた左翼政権を覆そうと、アメリカが資金援助する反政府ゲリラが攻撃していた。北部の国境地帯の最前線に行くと、砲声を響かせる大砲のそばに自動小銃を肩にかけた男の子が立っている。少年兵だ。

名前はエクトル。まだ12歳で、小学校６年生だった。徴兵されたのではなく、自分から志願して兵士になったと言う。「なぜ志願したの？」と聞くと、「僕は勉強をしたいから」と彼は答えた。「国が戦争をしていると、落ち着いて勉強できない。勉強するためには平和が必要だ。早く戦争を終わらせるためには、政府軍に一人でも多く兵士がいた方がいい。そう考えて兵士に志願した」と言う。小学生がそこまで決意することに驚いた。そうまで勉強したいからには、何か将来の目標があるのか問うと、「僕は海洋生物学者になる」と胸を張って答えた。

戦場の小学生が具体的な夢を持っていることに感動した。一方で、この子の命がそれまで続くかどうか、疑問に思った。明日、死ぬかもしれないのだ。

そのニカラグアから南の国境を超えて隣のコスタリカに入国すると、別の驚きがあった。子どもたちが清潔な制服を着て、かばんを手に学校に通っている。歩行者天国になった首都の目抜き通りのベンチに腰を下ろし、前を歩く子どもたちを見つめた。その表情は明るく、何のくったくもない。ニカラグアの少年兵の苦痛にゆがんだ表情とは、まるで別世界だ。

子どもが学校に通う。それは日本なら当たり前の風景だ。でも、同じ地球上にはそれができない国がある。当時はニカラグアだけでなく、その隣のエルサルバドル、その隣のグアテマラと、周辺の三つの国が内戦をしていた。戦争をしている国の首都の街角には自動小銃を構えた兵士が立って目を光らせていた。エルサルバドルでは兵士が小学校の授業中の教室に踏み込み、「12歳になった子はいるか」と問いかけ、手を挙げた子をその場で徴兵して兵営に連れ去った。これが当時の中南米の常識だった。

それなのに同じ地域のコスタリカでは、日本と同じように子どもがごく普通に学校に通う。私の前を笑顔でおしゃべりしながら通り過ぎる子どもたちを見て、これが平和なのだと実感した。同時に、同じ中米地域にありながら、どうしてコスタリカだけが平和でいられるのか、不思議に思った。

※中米のスイス

コスタリカのコスタはスペイン語で「海岸」を、リカは「豊かな」を意味する。新大陸を求めたコロンブスが第4回目の航海でやって来たさい、森林が多く緑が豊かな海岸だからこの名をつけたとも、先住民が手にした黄金を見て地名にしたとも言う。それが国名になった。コロンブスのあとにやってきたスペイン人が開拓したので、国民の大半はスペイン系で国語はスペイン語だ。

先住民もいるが、その割合は他の中米諸国よりもはるかに少ない。

国の位置は、アジアで言えばインドの南部にあたる。コスタリカのすぐ南にある国は運河で名高いパナマだ。パナマ運河は太平洋とカリブ海をわずか約80キロで結ぶ。コスタリカも太平洋とカリブ海に挟まれた南北に細長い山国だ。中央に山脈が背骨のように連なる。富士山によく似た形のアレナル火山は今も爆発を続ける。富士山より高いチリポ山は標高が３８２０メートルもある。

海岸地帯は一年中暑いが、内陸の都市は標高１千メートルを超す高原地帯にあるため、涼しい。北緯10度にある首都サンホセは「常春の町」と言われる。といっても日本のように四季があるわけではない。１年は６月から10月までの雨季と、11月から５月までの乾季の２つのシーズンだけ。雨季には猛烈な雨のスコールが降るが、数時間でやんでしまう。

首都の郊外の山の斜面にはコーヒー畑が広がる。人間の背丈くらいの木が見渡す限り整然と植えられ、赤や緑色の実がついている。赤く熟した実を手で摘み取って皮をむくと、白くぬるぬるした果肉が出てくる。その中に白っぽい２つの種子がある。生豆だ。機械で皮と肉を除き水洗いして乾燥させる。乾いた豆を焙煎（ばいせん）すると焦げ茶色のコーヒー豆になる。

中南米のほとんどの国でコーヒーを作っているが、おいしいコーヒーができるには条件がある。水はけの良い土壌、日中の寒暖差が激しいことだ。コスタリカは火山性の土地で水はけが良く、日向は28度でも日陰は19度になる。コーヒーの栽培に適しているのだ。コーヒーのほかにバナナやパイナップル、チョコレートの原料になるカカオなど農産物を育てて輸出している。

それよりもコスタリカらしい産業が観光だ。ありきたりの観光ではない。自然環境に浸りながら人間と自然との共存について考えるエコツアーだ。今や世界的になったエコツーリズムは、この国で始まった。コスタリカは世界で名高い環境国家でもある。

自然がふんだんにあり、平和であること。教育の程度が高く民主主義が発達していて人権意識が高いこと。さらに環境保全で世界の最先端を行くこと。それがコスタリカの特徴だ。その点、スイスによく似ている。このためコスタリカは「中米のスイス」と呼ばれる。

いや、同じ中立政策でも、徴兵制で武装中立を続けるスイスと比べて、非武装中立を貫き世界の平和のために活動している点は、日本にとってスイス以上に参考になる。スイスの平和、中立政策も現地を訪ねて調べたが、21世紀の日本のためにはコスタリカの方がより具体的なモデルになると思った。

それ以来、コスタリカに興味を持って何度も訪れた。2002年の大統領選挙を取材し、この国の人権の意識がきわめて高いことを知った。開発途上国と言うが、国民の政治意識や民度は日本より高い。2015年からはほぼ毎年、コスタリカを訪問した。コスタリカを知りたいという市民を募りスタディツアーをした。コロナ禍の3年間を除き、2023年まで続いている。これからも続けるつもりだ。

この国を訪れるたびに感動がある。何度訪れても、新しい発見がある。それは行き詰った日本の未来へのヒントと言い替えてもいい。コスタリカを知る旅は、日本の将来を探る旅でもある。

※優しさこそコスタリカのゆえん

2023年3月にコロナ禍のあと初めてコスタリカを訪れた。コロナ禍をうまく抑え込むのに成功した秘訣を知ろうと、コロナ対策の全国の医療態勢のトップに立って奮闘した医師に会った。彼の話になるほどと思った言葉がある。「優しさこそコスタリカ人のコスタリカ人たるゆえんだ」と彼は言う。「コスタリカ人はお互いに優しい」とも話す。優しさあってこそコスタリカ、優しさこそコスタリカ人の存在意義、と言いたげだ。

コスタリカ人と接すると、話すときにできるだけ相手の話を聴こうとする姿勢に気づく。相手の言いたいことを最後まで忍耐強く聞こうとするのだ。その分、自分の言いたいことは隠すことなく、とことん話す。あいまいなままで会話を終わらせるのではなく、お互いに相手の話を最後まで聞いて、互いに納得するようにしている。

コスタリカにある国連平和大学で学ぶ日本人留学生の金井あやさんに、こんな話を聴いた。彼女は大学に通うかたわら毎週木曜の夜、首都の街角でホームレスを支援するボランティアをした。ホームレスに話しかけて必要な物を聞き、靴下や服などが欲しいと言われると周囲の家をまわって声をかけ寄付してもらう。嫌な顔をされることなく、だれもがすぐに寄付に応じてくれる。ホームレスの人がお湯を欲しがっているとマクドナルドの店員に言えば、すぐにカップになみなみとお湯を入れてくれた。

このボランティア活動は地元の私立高校が授業の一環として行った。ボランティアを年に何時間かしないと卒業できない。何時間やったという記録にホームレスが証明のサインをする。高校生が地域の問題や貧困など社会問題に意識が高く、自分が何かすれば社会を変えられるという気持ちが強いという。ホームレスもまたボランティアといっしょに働くようになった。

夜の7時に集まって8時から2時間活動し、10時に帰りのバスに乗る。怖くないのかと問うと「ホームレス集団の組織が守ってくれる」と金井さんは笑った。バス代は高校生たちの親が払ってくれた。

※大切でない人間は一人もいない

そうしたコスタリカ人の気質を、この国に住んで日本人向けにガイドをしている28歳の若者、小林ソリス健さんが次のように語った。

コスタリカで感じるのは時間の流れの緩やかさだ。人々と会うと、毎日を大切に過ごそう、楽しむことは楽しんで緩やかな落ち着いた暮しをしよう、という気持ちで過ごしていることを実感する。約束すると30分遅れが当たり前だ。悪気はなく、ゆったりと過ごしているため、気づいたら時間に遅れてしまったという感じだ。時間に厳しい日本人なら腹立たしく思うだろうが、しだいにそんなにせかせかすることはないという気持ちになる。

用事をしに来てそれだけで帰ると、礼儀知らずだと思われる。物を取りに来たときも、物に興味があるのでなくあなたに興味があるという意志表示をする。「元気でいる？」など、相手を気遣う呼びかけを欠かさない。何かにつけコミュニケーションをとろうとする。

困った人がいたら放っておかないのがコスタリカ人だ。財布を忘れてバスに乗れない人がいると、居合わせた人たちがカネを出し合ってバス代にする。野宿して持ち物をすべて盗まれた外国のバックパッカーがいた。それを知った人が自宅に1か月間泊めたうえ、近所の人に呼びかけて募金を求め、帰国の費用にした。

「大切でない人間は一人もいない」という言葉をよく耳にする。人権を大切にするし、だれ一人排除しないという考えが身についている。移民や難民にもコスタリカ人と同じ人権があり、彼らがきちんと生活できるために住居や仕事などを保障するのが国の務めだという考えが定着している。

教育費が無料だし、薬も治療費もさらに手術代までも医療費が無料という国だ。がんの治療も無料である。もちろん保険料をふだん払っているからだが、みんなのカネで他人の命までも保障する。バスでたまたま横に座った男性が「白血病で毎日１００ドル以上の薬が必要です。あなた方のおかげで私は生きています」と感謝の言葉をかけてきた。

日本人は社会に不満があっても、自分の心のうちに収めて黙っていることが多い。コスタリカではだれもが言いたいことを主張する。政府に不満な市民がデモをするけれど、コスタリカから日本のデモを見ると暴力的に見える。コスタリカではデモといえば人が集まって楽しむイメージだ。参加した人がポジティブに主張し、まるでお祭り騒ぎのようになる。

このように小林さんはしみじみとコスタリカの生活、国民性を語った。もちろん経済的には貧しく、治安も日本より悪い。歴史や風土の違いもあり、そのまま日本と比べられるものでもない。しかし、このような社会だからこそ自分はコスタリカの生活を楽しんでいる、という思いがしっかりと感じられた。

※純粋な人生

コスタリカの人々は自分たちを「ティコ」と呼ぶ。何かにつけて言葉の最後に「ティコ」とつけるからだ。たとえば「モメント（待って）」と言うときに「モメンティコ」と言う。「ちょっと待って」というニュアンスになる。しかも「ティコ」にアクセントを置くから、コスタリカ人と話すとやたら「ティコ」が耳に残る。コスタリカで出されている英語の新聞は「ティコ・タイムズ」という名だ。コスタリカを紹介する英語の好著に『The TICOS』（ティコたち）がある。「ちょっと」を自分たちの象徴と位置づけるシャイな国民性なのだ。

彼らには独特のあいさつ言葉がある。プーラ・ビーダという。「おはよう」も「こんにちは」も「さようなら」も何にでも使える。これさえ覚えておけば、あいさつには困らない。プーラは英語のピュア「純粋な」で、ビーダは「人生」だ。だからプーラ・ビーダといえば「純粋な人生」という意味になる。朝から晩まで、お互いに「純粋な人生」と声を掛けあう社会に暮らせば、心も純粋に保てそうだ。

この言葉は、元はと言えば1956年に制作されたメキシコ映画のタイトルだった。主人公は楽観的で、画面の中であいさつの言葉として何度も「プーラ・ビーダ」を使った。それがコスタリカで受けて流行り言葉となり、人々が日常生活で使うようになった。コスタリカ人の性格にぴったりと合ったのだ。

「プーラ・ビーダ」と声をかける少女たち＝2015年、北部のサラピキ

コスタリカで街を行く人々と目が合ったとき「プーラ・ビーダ」と声をかければ相手は微笑んで同じ言葉を返してくる。道に迷って通行人に教えてもらい礼を言うと、「何でもないさ」というニュアンスで「プーラ・ビーダ」と言われる。

実に気持ちがいい。この国にいるとあいさつの言葉を交わすだけで幸せになる。

2 「平和の輸出」を実践

※国連核兵器禁止条約を主導

２０２１年1月、人類の平和を語るうえで画期的な条約、国連核兵器禁止条約が発効した。核兵器を非人道的で違法と規定し、核兵器の使用はもちろん開発や保有、核兵器による威嚇や核の援助もすべて禁止する内容だ。２０１７年7月の国連総会で賛成多数となって採択され、4年足らずで発効に必要な50か国の批准に達した。被爆の惨状がもはや起きないよう、地球上から核兵器を根絶しようという日本の被爆者の願いが具体的な形となった。

この条約を主導して提案したのがコスタリカだった。最初の動きは世界の三つのＮＧＯがまとめたモデル核兵器禁止条約だ。これを１９９７年に正式に国連に提案したのがコスタリカである。10年後の２００７年、改訂版をコスタリカはマレーシアとともに国連に提案した。その後も核兵器禁止条約の交渉を開始するようたびたび国連に働きかけ、ついに２０１７年にスイスのジュネーブの国連本部で開かれた核兵器禁止条約交渉会議で賛成多数を得て採択されたのだ。

条約を審議する国連交渉会議で議長を務めたのは、当時のコスタリカのジュネーブ国連代表部大使エレイン・ホワイトさんだ。コスタリカで最年少の外務次官に就いたアフリカ系のコスタリカ人である。彼女は国連で審議する前に日本の被爆者に会って約束した。この条約をコスタリカが提案したのは被爆者の長年の願いを現実にしたかったからだと述べ、「条約の中にｈｉｂａｋｕｓｈａという言葉を入れます」と約束した。実際、この言葉が前文に入っている。人間として血の通った政治家と言えよう。

条約の審議をする会議で、日本はどんな態度をとっただろうか。あろうことか会議を欠席し、審議をボイコットしたのだ。空席となった日本政府代表の机の上に置かれたのは１羽の白い折り鶴だった。

その翼には「＃wish you were here」と英語で書いてあった。「あなたにここにいてほしい。でも、あなたはいない」と言う意味だ。英文法の仮定法である。本当なら被爆国の日本が提案すべき条約なのに、日本は提案どころか審議に参加すらしない。日本人は被爆を忘れたの？　と、折り鶴は言いたいのだ。それが世界の人々の日本への視線である。コスタリカがとった行動を日本がしていれば、私たちは平和の国として世界に誇ることができただろうに。

ホワイトさんはジュネーブで国連大使として核軍縮の議論に積極的にかかわってきた。これこそ平和の構築であり外交努力である。ただ平和憲法を持っているだけで日本が平和国家と胸を張れるのではない。コスタリカのような平和外交を展開し、条約を成立させるなど成果を出すことが必要だ。

ホワイトさんはその後、米国のジョンズ・ホプキンス大学の大学院で国際政治の教授となった。

2023年5月に来日した際には、広島で開かれた主要七か国首脳会議を「現状を反映したものにすぎず核兵器禁止条約を拒絶するものだ」と批判した。そして核なき世界を実現するには軍事力で競い合う既存の枠組みから出た道筋が必要だと、核禁条約の意義を強調した。

彼女は「既存の枠組みから出て、競い合うことをやめるという新しい道筋を取った一つの事例が、我が国コスタリカです。1949年に軍隊を廃止し、非武装中立路線を現在も続けています」とコスタリカの在り方を誇る。そして「日本は条約に署名も批准もしていないけれど、核禁条約の締約国会議にせめてオブザーバーとして参加してほしい。とくに市民教育の面で役割を果たしてほしい。核兵器が実際に使われたら何が起きるのか。これを伝えるのに日本ほどふさわしい国はありません」と語った。市民教育での役割とは、被爆者の声を世界に広めて核廃絶の国際世論を創ることだ。それを被爆者個人に任せるのでなく、日本が国を挙げて取り組むべき平和外交だと指摘する。それは本来、日本が率先して行うべきことではないか。

※永世・積極的・非武装中立宣言

私が初めてコスタリカに行った1984年は、コスタリカが「永世・積極的・非武装中立宣言」をして一周年の年だった。この国は1983年、永久に非武装で中立であることを世界に向けて宣言した。それから1年たった記念式が首都サンホセで開かれた。

屋外の会場に舞台が作られ「中立、非武装そして平和」の文字が大きく掲げてある。集まった

約1千人が「戦争反対、平和賛成」と声を合わせる中、登壇したのはルイス・アルベルト・モンヘ大統領だ。宣言の意義を強調し「中立を堅持して自由と平和を守り続けよう」と訴えた。参加者は「中米に平和を」など書いたプラカードを振り、歓声を上げた。

平和憲法を持っているコスタリカが、なぜ中立を宣言したのだろうか。あえて「積極的」という言葉を入れたのは、どんな意味があるのだろうか。

このころ隣のニカラグアの内戦が激しくなった。反政府ゲリラが国境地帯のコスタリカ側のジャングルに基地を作り、そこからニカラグアを攻撃した。ゲリラを追ったニカラグア政府軍が国境を超えてコスタリカに侵入した。コスタリカの主権が侵害されたのだ。

さらに事態は発展した。反政府ゲリラを支援するアメリカのレーガン政権がコスタリカに迷惑な「援助」を押し付けようとした。コスタリカに無償で空港を作ってやるから、反政府ゲリラに使わせてやってくれと言う。

そんなことを許したら、コスタリカは完全にニカラグアの敵になってしま

永世・積極的・非武装中立宣言の1周年記念式。演説するのは当時のモンヘ大統領＝1984年、サンホセ

う。かといって経済援助を受けているアメリカに逆らうのは難しい。従わなかったら援助を止められるかもしれない。

切羽詰まったモンヘ大統領だが、おめおめと超大国に屈することはなかった。彼が考え出したのが、世界に向けて「永世・積極的・非武装中立」を宣言することだ。非武装国家であることを改めて世界に知らせ、他国の紛争に肩入れせず中立の立場を持ち続けることを宣言した。しかも、ただ傍観する中立ではなく、どちらにも与しない立場を利用して世界に平和を広めることを永久に、積極的に続ける、と誓ったのだ。

これは効いた。世界に向けて公式に宣言された以上、アメリカも無視するわけにはいかない。モンヘ大統領は事前にヨーロッパ諸国を回って各国からこの宣言への支持を取り付けていた。だから宣言が出ると、欧州各国からすぐに賛同の声が相次いだ。

このためアメリカもこの宣言を尊重せざるを得なくなった。超大国だからといって中立を侵すわけにはいかない。実に頭のいい戦略である。小国だからといって超大国の言いなりになることはない。知恵を出せば、活路は開ける。独自の路線を貫くことができるのだ。

後に私は、モンヘ大統領が引退して生活していた彼の別荘を訪ねた。当時のことを詳しく聞くと、彼は「中立を主張する前にスイスやオーストリア、そしてヨーロッパの小国アンドラの中立政策も研究した。ところがコスタリカが中立を宣言しようとしていることを知ったアメリカが邪魔をした。米国防総省と米中央情報局（CIA）の担当官がコスタリカに来て私に『中立宣言をするな』と圧力をかけた。『中立宣言するなら経済封鎖をするぞ。キューバのように経済危機に陥ってもいいのか』と私を脅した。しかし、私は屈しなかった。やがてアメリカの議会もコスタリカの中立を支持するようになった」と話す。小国とはいえ、立派に、したたかに意思を貫いた誇りの表情だ。

宣言の中に「積極的」という言葉を入れた意味を問うと、「世界の紛争を終わらせるため、人権を守るため、我が国は積極的、行動的に調停し、仲介する。スイスやスウェーデンなどの中立国は軍を持っているが、コスタリカは持たない。軍がないからこそ、調停に立つことができるのだ」と語った。

コスタリカの自立の姿勢をみると、コスタリカよりはるかに大国である日本の政府が他国の言いなりになっていることが恥ずかしく思える。相手が超大国であっても卑屈になるのではなく対等に接し、知恵を絞って筋を通す政策を進めることは、このように可能なのだ。

※ノーベル平和賞を受賞

モンヘ大統領の任期が終わり、次の大統領を決める選挙が行われたのが１９８６年だ。このときもコスタリカに取材に行った。主に争ったのは二人だ。モンヘ氏の路線を継いで平和と中立を進めるか、それとも経済援助をしてもらうためにアメリカ寄りに立場を変えるかが争点となった。当選したのはモンヘ氏を支持するオスカル・アリアス氏だ。圧勝だった。わずか45歳の若い大統領が誕生した。当選から4か月後、彼は国連総会で演説した。

「私は武器を持たない国から来ました。私たちの国の子どもは戦車を見たことがありません。武装したヘリコプターや軍艦どころか、銃さえ見たことがありません」

「私は小国ながら100年にわたる民主主義の歴史を誇る国から来ました。私たちの国では男の子も女の子も、弾圧というものを知りません。コスタリカが亡命者を出したことはありません。私たちの国は自由の国です」。世界各国の代表たちから喝采を浴びた。

実際、当時のコスタリカでは街中の警官は拳銃さえ持たず、警棒だけだった。周囲の中米の国、ニカラグア、エルサルバドル、グアテマラでは内戦をして、警官は拳銃どころか自動小銃を持っていた。同じ地域なのに、国境線のこちらと向こうでは天国と地獄ほどの違いがあった。

アリアス大統領は大統領に就任するとすぐに、内戦をしている三つの国に働きかけて戦争の終結を目指した。まさに「積極的中立」を行動に移したのだ。

三国の内戦を終わらせる努力はすでに北欧の国やメキシコなど中南米の大国が進め、いずれも失敗していた。アリアス大統領がまずやったのは自国の武装解除だ。コスタリカに軍隊はないが、専守防衛の国境警備隊はいる。彼らが持っていた最低限の小火器の多くを廃棄した。そのうえで三つの国の政府側とゲリラ側に話し合いによる和平を呼びかけた。

当時、中米の中でも左翼政権のニカラグアと右翼政権のエルサルバドルはとくに敵対していた。アリアス大統領は両者を粘り強く説得した。「人を分裂させる壁を作るよりも、統合させる橋を広げることに意義がある。相手を征服するより説得する方がずっと重要だ」と説いた。何度も挫折しそうになった。アメリカはあからさまに妨害した。しかし、アリアス氏は交渉をあきらめなかった。ヨーロッパ諸国を回り和平への支持を取り付けた。

こうした捨て身の姿勢と粘り強い努力が実を結んだ。三つの国の内戦を終わらせる会議がグアテマラのエスキプラスで行われ、ついに合意に至った。長年続いた戦争は交渉で解決した。この功績でアリアス大統領は１９８７年のノーベル平和賞を受賞した。

※平和の輸出

ノルウェーで行われた平和賞の授賞式でアリアス大統領は２日間にわたって演説した。最初の日には、こう語った。「平和は平和的手段でのみ達成できる。平和的手段とは対話、理解、寛容、自由そして民主主義だ。中米の将来は中米の手に任せてほしい。戦争を強いるのではなく、中米地域の努力を支援してほしい。剣でなく鋤（すき）を、槍でなく鎌を援助してほしい」。アメリカが進めてきた武力を伴う介入への批判であり、大国の介入を退ける小国の意志を示したものだ。

２日目の演説では名文句が口をついた。「歴史は、私たちの夢が実現することを求めている」「歴史はおのずから自由への方向を目指している」「今日、私たちは自らの手に自らの運命を握ることができる」。そして中米の紛争が激しくなった時にコスタリカでも再び軍隊をつくるべきだと考える人々が出たことに触れ、「何という意味のない弱さだろうか。コスタリカの強固さ、暴力に打ち負かされない強さ、1千の軍隊よりコスタリカを強くする力は自由と、その原理と、私たちの文明の偉大な理想の力なのだ」と語った。

そして、世界に向けて語った。「二度とヒロシマはあってはならないし、二度とベトナムもあってはならない。そのために私たちは闘わなければならない。武器はそれのみでは火を噴かない。希望を失った者が武器の火を噴かせる。私たちは平和のために迷わず闘わなければならない」

平和をもたらす果敢な行動によって、平和を世界に広げていく。それを彼は「平和の輸出」と呼んだ。

ノーベル平和賞の賞金をもとに、彼はアリアス財団を作った。2002年に私は首都中心部にあるアリアス財団の本部を訪れ、代表のララさんに会った。「財団の主な仕事は内戦をしていた周辺国の武装解除と民主化への支援です」と言う。コスタリカ自身が貧しい開発途上国で賞金の使いみちはいくらでもあるが、もっと貧しい国のために回しているのだ。

長く内戦を続けてきた国には内戦が終わったあとも武器が蔓延している。それを回収して社会を非武装化する作業を、財団は進めている。また、コスタリカより国の規模が大きい中米のグアテマラの女性の地位向上のために資金を援助する。グアテマラはとりわけ女性の地位が低い。女性が学校に行けるようにし、女性の農民にも土地を持てる制度ができるよう支援する。他国の民主主義と平和のために尽くすのだ。気高いではないか。

世界の武器取引を監視するのも財団の役割だ。「国連の常任理事国の五大国が世界の武器輸出の80％を占めている。このうち60％がアメリカです。豊かな国が貧しい国に不要になった武器を売って儲けている。こんなことをしてはならない、と声を大にして言うべきです」とララさんは訴える。

その活動は２０１４年、国連で武器貿易禁止条約の発効として実った。武器が国境を超えて移転するのを制限する条約だ。大統領を退任後、アリアス氏が世界のノーベル平和賞受賞者に呼びかけて国連に提起し、２０１３年に賛成多数で採択された。世界の片隅の小さな国だが、世界平和という大きな理想を抱き、その実現を目指してできる限りの努力をしている。コスタリカが世界から尊敬されるのは当然だろう。

※日本にふさわしい国際貢献

アリアス大統領の「平和の輸出」の実践はこれだけではない。彼が内戦を終わらせた三つの国はいずれもコスタリカの北にあったが、次は南の隣国パナマに目を向けた。当時、パナマは軍人のノリエガ将軍が権力を握っていた。ところがアメリカとの仲が険悪になり１９８９年、米軍がパナマに侵攻した。米軍は麻薬取引の容疑でノリエガ将軍を逮捕し、アメリカの刑務所に投獄した。明らかな主権の侵害で、侵略行為だ。しかし、この時期の世界はベルリンの壁の崩壊など東欧革命に目を注いでいたため、パナマはあまり世界の話題にならなかった。

ノーベル平和賞を受賞後、日本を訪れたアリアス元大統領＝1994年、東京

ノリエガ亡き後のパナマをどうするか、を主導したのがアリアス大統領だ。パナマ政府に対し、新憲法を作って軍隊を廃止するよう働きかけた。侵攻から5年後の1994年、新しい憲法が制定された。第310条で「パナマ共和国は軍隊を保有しない」と明記している。コスタリカの働きかけで、パナマも軍隊を持たない平和国家となったのだ。

その1994年、カリブ海の島国ハイチで政変が起きた。大統領を終えて一人の政治家となっていたアリアス氏はハイチを訪れてアリスティッド大統領を説得し、ハイチの軍隊も廃止した。武器をなくす手続きのため、アリアス財団から人を現地に派遣した。アリアス氏が関与して軍隊を廃止した国が二つもあるのだ。

そのアリアス氏が1994年に日本にやって来た。朝日新聞が主催したシンポジウム「希望の未来」で、世界が平和になるにはどうしたらいいかについて語るパネリストとして招かれたのだ。彼への対応が私の役目となった。

成田空港で彼を迎え、東京の都心に向かう車の中で隣に座った。その2年前、内戦が終わったカンボジアに自衛隊が派遣された。初めての海外派兵だ。それについて意見を聞いた。

アリアス氏は「日本政府は国際貢献という名目で自衛隊を派遣した。しかし、どんな美辞麗句を使っても軍服を着た人間を派遣すれば、必ず現地の人から嫌われる。もっと日本らしい貢献の仕方があるでしょう」と言う。どんなやり方だろうか。首をかしげる私に、アリアス氏はよどみなく答えた。

「カンボジアは長く内戦を続け、負傷者や病人がたくさんいる。ならば医師や看護師を送ればいい。軍服を着た軍人よりも、白衣のお医者さんの方がはるかに歓迎されるでしょう」。なるほど、その通りだ。と思ったら、彼は続けた。

「それは当座のこと。次に必要なのは、産業の復興です。カンボジアの産業は農業、しかも日本と同じ水田耕作ではないですか。日本の農業技術は非常に優れ、反当り収量は世界一。農民を派遣してカンボジアの農民に農業の技術を教えればいい。そうすればカンボジアのすべての田んぼに稲がたわわに実って、だれもが食べられるようになる。食べられたら戦争なんかしませんよ」。う〜ん、なるほど、と思ったら、さらにその先があった。

「最も大切なのはカンボジアの将来です。将来を決めるのは教育です。コスタリカも教育国家ですが、日本は世界に誇る教育国家ではありませんか。先生を派遣して授業のやり方、学校経営の仕方を教えればいい。そうするとカンボジアの将来が確立します」

涼しい顔で語るアリアス氏の笑顔に驚嘆した。実に名案だ。この案なら日本国内で誰も反対しなかっただろう。カンボジアの人々からも大いに喜ばれただろう。

※最も良い防衛手段は防衛手段を持たないこと

突然の質問にもかかわらずアリアス氏がその場ですぐに見事な解決策を話せたのは、コスタリカが日ごろからこうした支援を他の国に行っているからだ。だが、彼のような発想は当時の日本では出なかった。自衛隊派遣に反対するのは国際貢献に反対することだ、という政府の主張に飲み込まれてしまった。

政府が何か提案したときに、それに賛成か反対かだけを審議するのが野党ではあるまい。国際貢献というなら、別のやり方を提案し、政府案と野党案とどちらがいいのか、という論議の仕方もあるはずだ。具体的に展開できる平和外交の手段を考えきちんと世論に問うことを、野党はやってこなかったのではないか。

国際貢献は、軍事でなく平和な方法によってこそ、本当に役に立つ。アリアス氏は自衛隊の海外派兵について、こう結論した。

「日本の富んだ経済力は、軍事に使うよりもほかのことで活かせるのではありませんか。第三世界は紛争を抱えているだけではありません。貧困、教育、医療、環境の四つの分野で日本は発展に貢献できます。資金の援助だけでなく、日本が長い歴史の中でつちかってきた文化や人間としてのモラルなどの力は、第三世界の紛争の解決のためにきっと役立ちます」。貴重な提言ではないか。

最後に、防衛費が年々増える日本の現状について感想を求めた。アリアス氏は「日本が軍備を強化するのはたいへん悲しい。平和を実現する力がある大国なのに、なぜ軍備を増強するのか。戦後50年近くにわたって平和を維持し世界の経済大国にまで発展できたのは、軍備を放棄したためではないのか」と語った。

アリアス氏はしきりに「悲しい」という言葉を繰り返した。平和憲法国家として、いっしょに世界の平和をリードしていける立場なのに、それを放棄して軍事国家への道を歩む日本を心から残念がった。

シンポジウムの当日、アリアス氏は満員の参加者を前に堂々と述べた。「私たちにとって最も良い防衛手段は、防衛手段を持たないことです」。会場から大きな拍手が沸いた。

アリアス氏のあとを継いだ大統領たちも、平和のために貢献した。１９９５年にコスタリカは国連で世界中の紛争の一時停戦を提案した。98年には日本が核実験停止決議案を国連に提案したさいに協力した。２００３年には「地雷ゼロの国」を宣言する。２０１３年には先に示したようにアリアス氏が中心になって提案した武器貿易条約が国連で採択された。そうした流れが２０１７年の国連核兵器禁止条約につながったのだ。

※日本とコスタリカにノーベル平和賞を

軍隊の廃止から66周年を迎えた２０１４年12月1日、コスタリカ国会は満場一致で特別決議をあげた。「ともに平和憲法を保ってきた日本とコスタリカの両国民に共同でノーベル平和賞を授与すること」へのアピールだ。翌2015年1月20日にヘンリー・モラ国会議長の名でノルウェーのノーベル委員会に提出して、受理された。

アピールは12項目ある。最初の四つは前文のようなものだ。第1は「平和は人類の共存と発展に特別の価値がある」、第2は「軍事力は道具であり、その本質的な目的は戦争だ」と、軍縮こそが人類の発展や、飢餓や貧困との闘い、正義で公正な社会のために役立つと強調した。第3と第4で国連憲章を引用し、資源を軍事ではなく開発や教育に充てる国こそが将来のモデルになると主張した。

次の二つがコスタリカのありようだ。第5はコスタリカ憲法の「軍隊は禁止する」という条文を示し、第6で国連平和大学の創設や永世中立宣言などに触れ、軍隊を廃止したコスタリカが世界の平和に貢献した歴史を述べた。

続く二つが日本の説明である。第7で日本国憲法第9条の全文を掲げた。第8では「この決定を保持することで日本国民もまた世界の社会にとって模範となったうえ、それゆえに経済的、社会的、政治的に大きく飛躍した」と、日本国憲法の平和条項が日本と世界の発展に大きな貢献をしたと主張する。

最後の四つがノーベル平和賞を授与させよという根拠だ。第9では「コスタリカと日本はともに、この規範を65年以上にわたって保ち、再軍備を望む国内外の圧力をはねのけた。それは両国民の平和への使命感が重くかつ深く根ざしていることを示す」と、平和憲法を長年にわたって保った努力を特筆した。

第10でノーベル平和賞が設けられた意義を確認し、第11にコスタリカと日本という経済や歴史、文化などがまったく異なった国がなしえたことは「世界のどの国民も軍事力なしに生存し発展できることを示している」と述べる。

そのうえで最後の第12で、両国民にノーベル平和賞を授与することによって、両国が憲法の平和条項をいっそう維持しようと努めるし、世界の様々な国が軍隊をなくすことにつながり「国際法を通して紛争を解決することが明らかに優れているというメッセージを世界に送ることになる」と結んだ。

コスタリカと日本にノーベル平和賞を与える国会決議を提案したオットン・ソリス議員と遠峰喜代子さん＝2020年、サンホセ

この決議の法案を提出したのは、当時の与党である市民行動党の重鎮オットン・ソリス国会議員だ。彼にそのヒントを与えたのは日本の女性だった。東京に住む遠峰喜代子さん。世界一周の船、ピースボートに乗った遠峰さんは船上で会ったソリス議員に、「憲法９条にノーベル平和賞を」という市民団体が日本

にあることを教えた。神奈川県の鷹巣直美さんらが中心となって進めている市民運動だ。

ソリス議員がコスタリカに帰国してそれを話すと、妻は「日本がノーベル平和賞をもらえるならコスタリカだって権利がある」と言った。そこからソリス議員は両国の共同受賞というアイデアを考え、議案を国会に提出したのだ。日本の一人の女性の行動が地球の反対側の国の国会を動かし、思いがけない決議をあげさせたわけだ。

２０１７年にコスタリカの国会を訪問したさい、私はソリス議員に会った。彼は「平和は人類の共存の原理となる価値だ。戦争を起こすには軍事力が必要だが、軍事力を持たなければ戦争を起こせない。今でこそ軍隊を持たない国は世界の少数派だが、私たちは60年以上にわたってともに平和憲法を保ってきた。日本は軍隊をなくして世界で最も経済発展した。コスタリカは軍隊をなくして世界で最も民主主義の発展した国になった。それを世界に知らしめよう」と語った。ソリス議員はかつて大統領選挙に出て、あと一歩で勝てるところまで行った大物政治家だ。彼の影響力は大きい。

日本とコスタリカ国民がいっしょにノーベル平和賞を受賞し、それによって世界の国々が軍隊をなくすきっかけになり、世界平和に向けて進む力となるなら、すばらしいことではないか。

3　民主主義の現場を見る

※「個人の平和」が原点

民主主義や憲法そして平和は、コスタリカではどう教えられているのだろうか。高校を訪れて憲法の授業を見学した。

先生の後ろについて教室に入った。先生が「はい、いつものように」と声をかけると、生徒たちは机を壁際に押しやって、空いた中央の空間に座り込んだ。先生は「みなさんはまもなく高校を卒業します。大学に行く人もいれば就職する人もいる。就職して解雇されることがあるかもしれない。そのときあなた方を助けるのは憲法です。憲法をどう使うか、思いついた人から発表して」と言った。

生徒たちはすぐさま手にした副読本の憲法を読み、競うように意見を述べる。「憲法56条で労働の権利が保障されているから、これを主張すればいい」「そのあとの憲法63条に正当な理由のない解雇通告は補償されると書いてあります。補償を求めます」。さまざまな意見が出る。憲法を学習するというより、自分のために憲法をどう使うかを考える。それをゲーム感覚でやるから、いかにも楽しそうだ。誰かが発言すると別の生徒が「いや、それはおかしいんじゃないか」など意見を述べ、生徒同士が議論する。

意見が出尽くしたところで先生が具体例を挙げた。「実際の例を挙げましょう。ある会社をクビになった人が、憲法のこの条文を主張して憲法違反の訴訟を起こし、復職することができました」といろいろな具体例を挙げる。そして言った。「憲法はみなさんを守るためにあります」。

思わずうなりそうになった。憲法とは何か、よりも、憲法をどう使うか、に主眼を置いた教育なのだ。日本でもこんな授業なら、みんな真剣に憲法を学ぶだろう。憲法は自分の人生に実際に役立てることができる、と子どものうちから知る。

国の教育の指針を知ろうと町の書店で教科書を探した。日本の公民にあたる「市民教育」の教科書が並んでいる。中学2年の教科書を開いた。

第2章は「コスタリカ　自由の祖国」というタイトルだ。いきなり「テーマについて調べてみよう」という項目があり、「『民主主義はみんなの手によるもの』といわれるのは、なぜでしょうか？」という質問が出てきた。そのあとの解説には「民主主義は教科書や憲法の中だけでなく私たちの生活の中にあり、民主主義について考える行いの中にあるのです」と書いてある。

次に「『平和とは戦争がない状態ではない』といわれるのは、なぜでしょうか？」という質問が出てきた。ん？　日本では、平和とは戦争がない状態だと思われているが、コスタリカではそうではないらしい。

そのあとにこう書いてある。「平和とは理想、希求する心からなるものであり、それを実現するためには個人がそれぞれの平和を確立することが必要です。そこから社会の価値観、道徳心から生まれる安定性、豊かさの恩恵を受けながら、他の人々と平和を分かち合うことができるのです」

こう聞くと日本との発想の違いに気づく。日本で平和といえば、多くの人は世界や日本の平和など大きな仕組みを考える。自分があたかも総理大臣になったつもりで「国家の平和」を頭に思い浮かべる。すると往々にして、国家のためには国民の命など少々犠牲になっても仕方ないという考えにつながりがちだ。

コスタリカでは平和の原点は個人だ。一人ひとりが心の安らぎを感じながら豊かに生きることのできる社会。自分だけでなくみんなが同じように安心できてこそ社会は平和になり、その結果として国や世界が平和になると考える。さらに平和とは「すでにある」状態ではなく「これから創る」ものという発想が基本にある。

この教科書で語られる平和は、国際的な平和学に沿った考え方だ。北欧で発展した平和学では、ただ戦争がないだけの状態は「消極的平和」と呼ばれる。しかし、一見平和に見えても飢餓や貧困、虐めや差別、社会格差など、構造的な暴力はある。それらをなくして誰もが安心して安全に暮らせる状態を「積極的平和」と呼ぶ。

ちなみに安倍晋三元首相が言った「積極的平和主義」は相手から攻撃される前にこちらから積極的に攻撃しようというもので、平和学の「積極的平和」とはまったく違う代物だ。

※政治家を疑え

この教科書の続きを読むと、驚くと同時に吹き出した。こう書いてある。「国家を統治している多くの人々は、ある一つの似通った、嫌な考えを持っています。権力を失うことを恐れています。裏切り、不誠実なスピーチを聞く機会がたくさんあります。金持ちの国家、政府は、その富を貧しい人々と分かち合わなければなりません」

コスタリカでは教科書に、政治家を信じるな、政府に批判的な目を持てと書いている。日本の教科書にこんな言葉は出てこないし、出たとしたら教科書検定のさいに問題となるだろう。この違いはどこから出てくるのだろうか。

すぐに言えるのは、一人ひとりの個性が大切にされる社会か、個人の自由よりも全体の統制を重んじる社会か、の違いだ。少数者の人権に耳を傾けるか、それとも多数決ですべてを決め少数者を排除するか。一口に言って民主主義の成熟度の違いである。

日本の社会には伝統的に、集団に従うよう強制する同調圧力がある。自粛や「空気を読む」ことで自分の意思を隠すことを強いられる。このような社会では意思を持たない人間が育つ。自分で意見を決める前に横目で周囲の反応をうかがおうとする。

コスタリカは違う。個性を持ってこそ人間だと教わる。自分の意見を持たないと、なぜ何も考えないのかと不思議がられる。小学生が大人と堂々、対等に政治について議論する。

新築された国会の地下にある議場＝ 2023 年、サンホセ

その違いは、社会のありように表れる。自由にものが言えない社会、弱者が沈黙を強いられる社会か、だれもが心の思っていることを自然に発言できる社会か、の違いだ。「よそ者」に対する扱い方にも顕著に表れる。外国人、とりわけ難民や移民を排除する日本と、難民を大量に受け入れてきたコスタリカの違いだ。

理不尽に差別され生きにくさを感じる人は、社会に反抗するだろう。それは暴力や犯罪となって現れる。このような社会は平和ではない。能力や性格、考えの違いはあっても、すべての人に機会が保証され、失敗してもやり直せる社会、違いを受け入れる仕組みが整っている社会なら、人はがんばろうとする。

そこで問われるのが政治体制としての民主主義であり、社会の人権に対する感覚だ。コスタリカの民主主義の現場を見よう。

※あけっぴろげな国会

コスタリカの国会はつい最近まで、古い植民地時代の建物を使っていた。それが２０２０年、高さ約80メートルで17階建ての高層ビルに建て替わった。外壁は黒ずんだ灰色で、まるで要塞のようにいかめしい。「コスタリカの民主主義が頑丈であることを示すデザインです」と案内者が説明する。

中に入ったのは２０２３年だ。入口でパスポートを見せ、写真を撮られた。中を見学していると委員会室に出くわした。ガラス張りの部屋で20人くらいの議員が、前年に起きた選挙違反事件を審議している。討議する声がそのまま30席ほどの傍聴席に流され、新聞記者がしきりにメモを取っている。審議中の議員の写真を撮ることもできる。驚いたことに、傍聴席に入った私たちを見た議員たちが審議中にもかかわらずニコッと笑って手を振った。あまりにも気さくで、日本のようないかめしい雰囲気がまるでない。

議場には車いすの議員が楽に使える設備が備えてある＝2023年、サンホセ

議場は地下４階にあった。建物で最も低い位置だ。「市民が上から管理し、議員は市民を見上げる存在だからです」という。ガラス張りの傍聴席から議場を見下ろすと、正面に議長席、左右に議席が向かい合う形だ。日本のように演台を前にすべての議席が半円形になっているのではなく、対面して本当に討論するという形だ。
議席の前に国際女性デーのポスターを貼って女性の権利をアピールする議員、先住民のポスターを貼って先住民の権利をことさら主張する議員もいる。議事は午後３時に始まり、３時間以内に会議の内容はすべて公開される。議事録は翌日までに完成し、これも公開される。すべてがあけっぴろげだ。隠すことは何一つない、という姿勢を感じる。

ちなみに憲法改正案が国会に提案されるとどうなるのだろうか。二つの異なる政権にまたがって３回の国会審議が必要だ。それぞれ議員の３分の２以上の賛成があって初めて承認され、その後は国民投票にかけられる。簡単には改正できない仕組みだ。

※子どもも法律を提案できる

２０１９年と２０２０年に建て替え前の国会を見学したさい、案内してくれたアフリカ系のシェルマン・アレンさんは「コスタリカは中南米で最も高度な民主主義を行っています。法律は人々の権利を守るためにあります」と明快に語った。法律の審議で議員が賛成したか反対したかはすべてウエブサイトに公表される。「すべて透明です」とアレンさん。「会議を欠席したり投票のときに棄権したりすれば、その分、日当が払われません」という。日本でもこの制度を導入すれば、少しは真剣に議論するかもしれない。

「議員や大統領だけでなく一般市民も法律を提案できます」と聞いて驚いた。市民が法律を提案し有権者の５％の署名を集めて国会に提出すれば、法案として審議される仕組みだという。

いや、わざわざ署名を集めなくても市民が直接、国会の窓口に来て提案することもできる。国会の事務局に市民参加課があり、そこに行って提案を述べればいい。アレンさんは、その市民参加課の職員だった。実際、小学生の女の子と男の子の二人が国会に提案して、沖縄にいるジュゴンに似た海洋生物マナティを国の象徴とする法律が成立した。

マナティはこの国のカリブ海沿岸にいるが、このところ個体数が減って来た。地球環境の変化だけでなく人々が大切にしないからだ。そう授業で教わった小学生の女の子が、マナティを保護するにはどうしたらいいか同級生の男の子に相談した。男の子は、小学校3年のときに国を象徴する花や鳥があると授業で習ったことを思い出した。国を象徴する海洋生物にマナティを指定すれば、人々の意識も変わるのではないか……。

二人で市民参加課の窓口を訪れ、考えていることを相談した。事務局がそれを法案として文面化し、環境問題に関心がある議員に紹介した。その議員を通じて国会に上程され、審議のうえで法律として成立したのだ。

子どもたちが国政に具体的に参加できる仕組みがあり、それを小学生が知っていて実際に使う。自分の力で国の法律を作ったと思えば誇らしいだろう。社会や政治への参加意識を持ち、やればできるという強烈な達成感を抱くだろう。民主主義や国会をごく身近に感じることができる。

※国会議員は連続再選禁止

「国会議員は連続再選できません」。そう聞いて驚いたのは2012年だった。コスタリカの国会は一院制で議席が57あるが、選挙のたびに全員が入れ替わる。「癒着(ゆちゃく)をなくし権力者をつくらないためです」と案内してくれたリカルド・ルイスさんが説明する。

国会議員の選挙は完全比例代表制だ。日本のような小選挙区制など、ない。選挙のたびに各政党が候補者名簿を発表する。有権者は候補者個人ではなく政党に投票する。このやり方だと死票が少なく、有権者の意志が議席に反映されやすい。

国会議員はいったん議員になれば、次の国会議員選挙には立候補できない。議員になっても４年間しか職は保証されないから、大学教授や政党役員などほかに仕事を持っていなければ、政治家としてやっていけない。

日本のように連続で何選でもできると職業政治家だらけになり、政治が私物化されがちだ。親から子に議席を引き継ぐ世襲議員も当然のように出てくる。個人の能力でなく親の七光りで当選する政治家が多くなり、民主主義から離れ、腐敗する。この制度は日本に取り入れる価値があるだろう。コスタリカにも世襲議員はいるが、数はきわめて少ない。

国政選挙は４年に一度で、大統領選挙と国会議員選挙が同時に行われる。投票日は２月の第１日曜日と決まっている。公務員は休日なのでもちろん投票するし、この日に仕事がある民間企業は労働者が投票所に行くための十分な時間を与えなければならない。

国会議員が連続再選禁止なら、大統領はどうなのだろうか。以前、大統領は完全に再選禁止だった。一度就任したら二度と大統領にはなれなかった。独裁者を作らないためである。どんなに良い政治家でも、連続して権力の座にいると独裁者になってしまう。本人にその気がなくても、周りの人が持ち上げてしまう。こうした観点から厳格な再選禁止を決めていた。

とはいえ、若くして大統領になった政治家がそのまま埋もれてしまうのはいかにも惜しい。何年も議論して2003年、大統領を終えたあと8年経てば再び立候補できるようにした。しかし、任期は最大で2期8年に限られている。それ以上は政権を握れない。

この国では伝統的に二大政党制が続いてきた。平和憲法を制定したホセ・フィゲーレスが創立した国民解放党（PLN）と、それ以前に社会福祉を進めて国民的な人気があった国家共和党の系統を引くキリスト教社会連合党（PUSC）だ。2014年の大統領選挙で市民行動党（PAC）の政権が生まれるまで、二大政党のどちらかが政権を執る流れが続いた。

交代で権力の座に就くという点だけをとらえて、これを「コスタリカ方式」と呼んだ日本の政治家がいる。元首相の森喜朗氏だ。コスタリカ友好議員連盟の会長をしていたときに思いついたと言う。小選挙区比例代表並立制の導入当時、森氏は自民党の幹事長をしていた。同じ選挙区から二人の自民党議員が立候補しようとしていたのを調整するため、一人を小選挙区に、一人を比例区にまわし、次の選挙では入れ替わることにしたのだ。

もちろんこんな制度はコスタリカにはない。2018年に国会を案内してくれたロドリゲスさんに聞くと、「ええ、そのような呼び方が日本にあることは聞いています。ちょっと首をかしげますが」と言って苦笑した。

※国会議員の半分が女性

コスタリカの国会でさらにおどろくのは、男女平等をほぼ実現していることだ。２０１２年に訪れたときは57議席のうち女性議員が22人だったが、２０２３年現在、議席のほぼ半数の26人を占める。女性議員が46％で、完全な男女平等に近い。同じ時期の日本の国会の女性議員は議席の10％以下でしかなかった。この違いはどこから来るのだろうか。

どうしてこんなに女性議員が多いのか、ルイスさんに聞いた。「我が国は憲法で男女同権をうたっています。１９５３年の国会議員選挙で初めて３人の女性議員が生まれました。１９９６年に選挙法が改正され、各政党が提出する候補者名簿で同性が60％を超えてはならないことになりました」という。

まわりくどい表現だが、わかりやすく言えば、男性だけで60％以上を占めてはならない、つまり40％以上を女性に充てよということだ。やがて女性議員が多数を占めるようなことがあるかもしれないので、このような表現になった。

そう聞いて私は質問した。「10人の候補者名簿を作るとして、上の６人を男性に、下の４人を女性にしても40％になる。こうした抜け道があるのではありませんか」。ルイスさんは「そうならないように名簿の順位は男女男女と交互にする仕組みが法律で定められています」と言う。細やかな配慮に舌を巻く。

さらに2009年には、2010年からのすべての選挙において男女同数でなくてはならないと決めた。そうなるために2018年の選挙のさい、さらに法を改正した。「男女男女……」とすると3人しか当選しなかった場合に、男女比が2対1になる。このため、ある選挙区で「男女男女……」としたら、隣の選挙区では「女男女男……」とすることになった。その結果、女性議員が2人増えた。

個々人が輝ける差別のない社会、一口に言えば「だれもが平和に生きることのできる国づくり」に向けて、コスタリカは着々と手を打っている。日本では男女平等は掛け声だけで、いっこうに実現しない。世界経済フォーラムが2023年に発表したジェンダー・ギャップの調査では、日本の男女平等度は125位である。国連など他の機関の調査でも、日本は軒並み100位以下で、しかも年々、順位を下げている。

これからの社会の理想を掲げるのが憲法だ。しかし、条文に男女平等を掲げただけでは、理想は実現しない。本気で理想を実現しようとするなら、法制度で仕組みを整えることが必要だ。コスタリカはそれをきちんとしている。日本の政府は口先で男女平等の必要性を唱えるだけで有効な法制化をしてこなかった。その姿勢の違いが、現実には大きな違いとなって現れている。

※子どもの模擬投票

この国では大統領選挙のたびに、子どもが模擬投票をする。形だけのまねではなく本気の投票だ。全国すべてでやっているのではなく、態勢ができた地区から実施している。２００２年の大統領選挙のさい、その16年前から子どもの模擬投票を実施しているアラフエラ市の中学校を訪ねた。

平屋建ての校舎が並ぶ中庭に、背の高さが３メートルもある人形が動き回っている。足の裏に高さ１メートル以上もある棒をつけた人間が中に入っているのだ。スペインのカタルーニャ地方の伝統的なお祭りの出し物を移民が伝えた。ブラスバンドの演奏に合わせて踊るのを、投票に来た子どもたちが楽しそうに見ている。

大統領選挙の模擬投票をする幼い子どもたち、左は受け付け役の女子高校生＝2002年、アラフエラ市

校舎の入り口に幼ない子から中学生までの子どもが並んでいる。テーブルに座った女子高校生２人が受付をしていた。子ども用の選挙登録者台帳で名前と照合し、チェックしたうえで投票用紙を渡す。この地区の高校の生徒が選挙管理委員会の役をしているのだ。

実行委員長で17歳の女子高校生ケイラ・ベナムデスさんは「子ども投票を行うのは、大統領選挙の機会を通じて子どもたちに自分たちで政治家を選ぶことを経験し、民主主義を体感してもらうためです。有権者となったときの準備ができます」と言う。高校の「地域社会」の科目で、授業の一環として取り組んでいるのだ。

高校生たちは投票日の2か月前から準備をはじめ、会長や会計、書記の3役を選び、手分けして投票したい子を1週間かけて募集した。約3千人が登録されている。

子どもたちに渡された投票用紙は、A4の大きさだ。大統領選挙に立候補した14人の候補の顔写真と政党のマークがカラーで印刷してある。空白の部分に「子ども投票用」とスタンプが押してあるほかは、本物の大統領選挙の投票用紙と同じだ。小学校に上がる前から本物を体験させる。日本のように名前を記入するのでなく、選びたい候補者の顔写真の下の空欄に「×」印を入れればいいだけだから、3歳でもできる。この日、ここで3歳から17歳までの約2500人が模擬投票をした。

投票を済ませた6歳の男の子コルドバ・ガルシア君は「自分で考えた候補者に入れたよ。その人を選んだのは、僕と立場が同じだと思ったから。お父さんは別の人に投票するって言ってる」と話した。

コスタリカでは、家庭で親と子が政治の話をするのがごく当たり前だ。子が親の主張に従うのでなく、6歳の子でも自分の意見を持ち、親とは違う意思表示をする。こうして自立した子が育つ。

※子どもが選挙ボランティア

大統領選挙の当日に実際の投票所を訪ねた。投票所の前に政党のテントが並ぶ。紙で作った政党の旗が飾られ、政党のカラーをデザインしたTシャツを着た子どもたちがそれぞれのテントの中で10～20人、椅子に座っている。日本で選挙事務所と言えば地域の主のような年配の男性が詰めることが多いが、このテントにいるのは子どもばかりだ。それも見るからに小学生や中学生くらいの年代である。

大統領選挙の投票所で指示する政党のテントに詰めかけた子どもボランティア＝2002年、アラフエラ市

あたりを歩いていると、緑色のTシャツを着た中学2年生の女の子が私に話しかけてきた。「もう投票は済ませましたか？」と聞く。私を有権者と思ったのだ。そして「もし、まだなら、ぜひ私が推すこの候補者に入れてください。なぜ、私がこの人を大統領に推薦するかというと……」と、彼女はとうとうと推薦する理由を述べた。その口調が実にしっかりしている。この国の政治についてきちんと理解していなければ語れないような内容だ。

そこで初めて悟った。この子たちは親に連れられてきたのではない。自分の意思で政党のボランティアになっているのだ。ただテントの中で座っているのでなく、自分から働きかけて一人でも多くの有権者を獲得しようと努力する。幼い子が積極的に政治に参加するなど日本ではありえないだけに、目を見張った。

家族で投票に来ていたのは15歳の中学生マリア・ビジャロボスさんの一家だ。大統領にはだれがいいかと、家族全員で話し合ったと言う。運転手をしているお父さんは「いい人みたいだ」と、お母さんは「いい大統領になるだろう」と、マリアさんは「変わることが重要だから」と、妹は「いい人だから」と、それぞれの理由で結局はみんな同じ人を選んだ。お父さんは人柄で選び、お母さんとマリアさんは政治家として判断したのが面白い。このように家族がみんな候補者選びで一致するのはむしろ珍しいという。親と子で、あるいは家族の間でまったく別の政党、別の候補者を支持することがごく普通であり、多くの家では果てしなく議論するという。

投票所で会ったカルロス・ムリージョさんは59歳。コスタリカに生まれアメリカで働きアメリカ国籍をとって銀行員をしていた。退職して年金生活となり、故郷に帰ってきたのだ。「コスタリカはアメリカよりも生活費が安いし、何よりもこの国の平和と民主主義が気に入っているから」と話す。選挙権はなく、見物に来たのだ。

「コスタリカは小国なのに民主主義を自分で確立した。もしコスタリカが攻められるなら、他の民主主義国がコスタリカを応援するだろう。教育、経済、福祉の水準は中南米でも1、2位だ。中産階級も多い。自由と平和のために教育に力を入れたところがたいしたものだ。教育では世界のどの国と比べてもひけをとらないだろう」と、感心した面持ちで語る。

※民主主義の五要素

どうしたらこのような子どもたちができるのか。それは国が小学校からきちんと民主主義を教育しているからだ。この国では小学生のときから国が責任を持って民主主義を教える。選挙最高裁判所という選挙を統括する機関があり、その中に民主主義形成研究所という組織がある。訪ねてみた。

スタッフのホセ・ロハスさんは、小学生向けに作ったカードの教材を取り出した。ＣＤケースと同じくらいの大きさの紙のケースの表紙に「民主主義を生きる」と印刷してある。ケースの中には「民主主義とは何か」と書いたカードがあり、「民主主義は、主権が国民にある政府の制度という以上のものがあります。民主主義の中で生きるとき、市民文化の絶えざる建設が求められます。そこでは連帯、寛容性、対話、多様性の尊重そして参加が促進されます」と書いてある。

そして、ここに挙げた「参加」「多様性」「寛容性」「対話」「連帯」の５枚のカードが、この順に入っている。これを民主主義の五つの要素と考えているのだ。まずは話し合いに「参加」し、お互いに違う考え方を持っていて「多様性」があることを認識し、そのうえで自分と違う意見を嫌うのではなく受け入れる「寛容性」を持ち、自分の意見を言い相手の意見をしっかり聴く「対話」を展開し、そこで合意、納得したことはいっしょに「連帯」して実行していこうというのだ。

このカードボックスをすべての子どもたちに配り、「民主主義って、何だと思う?」と質問する。生徒が何か答えると「それはこのカードのどれに当たるだろう?」と対話形式で進める。ゲーム感覚で教えるから楽しく、生徒もワイワイ言いながら自然と理解する。

例えば、「参加」のカードには「参加はすべての人が持っている義務であり権利です。市民は地域や国における生活に積極的な役割を引き受けることができるし、そうすることが義務でもあります。そこで必要なのは約束し責任を果たすことです」と書いてある。

「対話」のカードには、「対話は、暴力的な手段でなく他の人が考え主張する話を尊重し聞くことによって、対人的な紛争を解決することができるようにする道です。対話では、自分自身を他の人々の立場に置き換え、理解し、尊重する能力が必要です」と書いてある。

こうした教育をいつ、どのような機会に行うのだろうか。「小学校の児童会選挙、中学校の生徒会長選挙のときに実践的に行います」とロハスさんは言う。すべての公立学校では毎年5月の第3週に児童会、生徒会の会長や役員の選挙を行う。そのための準備を2月第2週に新学期が始まったときから準備する。

この間にロハスさんらスタッフが全国の小中学校に出張し、民主主義とは何か、なぜ選挙を行うのか、を子どもたちに話す。立候補する生徒には「政党」を作るよう指導する。国政選挙と同じ仕組みで運ぶのだ。立候補した子は政策を作ってみんなの前で発表する。生徒の個人的な人気投票ではなく、政策によって選ぶことを小学生の時から体感させるのだ。各学校で平均して毎回、四つの「政党」ができるという。

ある小学校の児童会選挙で当選した子は、「私が当選したら、上級生が下級生に絵本の読み聞かせをする仕組みを作ります」と述べて当選したという。これなら楽しそうだ。いろいろアイデアを考え出して競うだろう。日本の児童会や生徒会の選挙に、この方法を取り入れてはどうだろうか。

民主主義形成研究所と選挙最高裁判所については第3章で詳しく述べよう。

4　自立のための教育

※兵士の数だけ教師をつくろう

コスタリカが平和憲法で軍隊をなくしたことだけでも驚くが、それ以上に感嘆するのは軍事費だった分の予算をそっくりそのまま教育に回したことだ。そのさいのスローガンが「兵士の数だけ教師をつくろう」だ。憲法が施行された1949年から今日に至るまで、この国では毎年の国家予算の約30％が教育費である。教育国家を絵に描いたようだ。

しかも憲法第78条に「国の教育費は年間の国内総生産（GDP）額の6％を下回らないものと

する」という条文を入れ、教育費の絶対額を保証した。経済発展するにつれてＧＤＰが増えると、それに対応して憲法を改正した。２０１５年からは「８％」となっている。国の予算の総額が多くなればその分、教育にはさらに多くの費用を出すと決めているのだ。

このため経済的には貧しい開発途上国なのに、世界でもまれな教育国家になった。２０１８年からは、幼稚園から高校まで13年間を義務教育としている。

大学はどうかと問うと、７割の学生に奨学金を出しているという。日本では基本的に奨学金は返さなければならないが、コスタリカはどうだろう？「奨学金は奨学金です」という応えが返ってきた。返す必要はないということだ。

残る３割の学生は家に経済的な余裕があるので授業料を払っているという。1年間の授業料の額を聞くと、日本円にして３万円だった。つまりこの国では幼稚園から大学まで、ほぼ無料で学べるということだ。

首都の学校を訪れた。中高一貫校で10年生（高校1年生）のクラスでは、ちょうど平和について学習中だった。「生徒に好きなように質問してください」と先生に言われたので、子どもたちに「軍隊がなくて不安はないの？」と聞いた。

真っ先に口を開いた男の子は「そんなこと言っても、誰も攻めて来ないもの」と笑う。女の子が「もし攻撃されたら、私たちは民主主義で闘います」と言った。別の男の子が「軍隊って人を殺すための組織だから、そんなものはない方がいい」と話す。後ろの席の女の子が「もし攻撃されたら、他の国に助けを求める仕組みができています」と答えた。憲法をきちんと読んでいることがわかる。生徒の一人は最近、政治家への暴行事件が起きたことを挙げて「政党が違っても話し合うべきだ。暴力で解決しようとするのはよくない」と語った。

8年生（中学2年生）の教室に行って、同じように生徒たちに質問してみた。「国が憲法で軍隊を廃止したことを、みんなはどう思っているの？」

前の席のいた男の子がすかさず「そのおかげで僕たちの国には戦争がない。とてもいいと思う」と声を上げた。少し考えたアロンソ君は「軍隊を持たないことには賛成だけど、その分、市民の安全を守るために法律を厳しくしなければいけないと思う。犯罪が増えているから」と話した。そこからみんなで話し合いが始まった。何かにつけ、すぐに話し合うようだ。

「いつも、こんなに話し合っているの？」と聞くと、エマヌエル君が「家でもテレビのニュースを家族で見ながら討論する。学校のクラスの中でもその時々の社会の話題を話し合う。たとえば暴力事件が起きたときは、なぜ暴力で解決しようとするのか、暴力ではなくてどのような解決方法があるのか、などです」と話した。

高校生はもちろん、中学生も一人ひとりがきちんと考えて自分の言葉で考えをはっきりと言うことに驚く。日本の学校なら、質問しても大半の子は沈黙するだけではないか。

授業は討論形式が多い。机が台形になっている教室も多く、台形の机を六つ合わせて円を描くように対面しながら討論する。騒がしいくらい意見が飛び交う。他人と違う意見を持つのが当たり前と考えられ、周囲を見渡して自分の意見を決めようとする子はいない。何かにつけ話し合いで解決する姿勢が小学校から養われ、その発想が子どもたちに根づいている。

自分の意見をしっかり持ち、それを筋道だって話して相手に理解してもらう。その分、相手の意見もじっくり聞いて理解しようと努める。相手はひとりでなく5人もいる。いろいろな意見が出て、自分が考えつかなかった発想もある。それらを突き合わせると、さらに斬新な発想が浮かぶ。こうして最初の意見よりも進んだ結論に至る。これってヘーゲルの弁証法ではないか。コスタリカでは小学生から、いや幼稚園から子どもたちがごく自然に弁証法を実践しているのだ。

教育の目的はだれもが幸せになること、と話す公教育省のグロリアさん＝2015年、サンホセ

※教育の目標は本人が幸せであること

この国の教育の考え方を知ろうと、日本の文部科学省に当たる公教育省を訪れた。

学生生活課のグロリアさんは教育の目標を「市民の権利意識をきちんと持ってもらうこと」と明瞭に語る。さらに「だれもが一市民として国や社会の発展に寄与でき、一人の人間として意識でき、何よりも本人が幸せであること」が目標なのだという。

そのうえで「わが国は人権の国です。市民としての権利を学ぶことで義務もついてきます。他人の権利を認めることが平和につながる。自分も大事だが、他人を尊重することが大事です。コスタリカは平和の文化を創ろうとしています。他人の人生と自分の人生と同じように尊重することから民主主義が生まれます」と話した。教育で大切なことは、子どもの可能性を摘まないことだと言う。

学習指導のガイドラインや教科書もあるが、「先生が指導書のページを追うことに懸命になるのはよくない」と語る。ガイドに頼らず先生が独自のスタイルで授業作りをするよう奨励している。先生自身が創造性をなくしてはならないと考えるからだ。だから授業でも教科書に沿って教えるのではなく、なるべく教師が自分で教材を作って生徒に教えるよう促す。環境教育では農業を理科の時間に組み込み、畑に行って農業を体験しながら考えるようにした。

日本では教科書に沿って授業をどんどん進め、理解できない子は置いて行かれると話すと、グロリアさんは「コスタリカではそれぞれの子どもに合ったやり方で教えます。授業についていけないのはその子のせいでなく制度が悪いのです。全員が同じ速さで覚えなければならないというシステムがおかしい」と指摘した。さらに「一生懸命やっている生徒を排除してはなりません。それぞれの子がどうしたら頭に入りやすいかを、先生が考えるべきです。生徒各自に合ったやり方があります」と話した。

こんな教育であれば、教師も生徒もやりやすいだろう。今の日本の教育現場では文科省や教育委員会の統制が厳しいし、さらに受験対策のため教師は自分なりの教育ができる環境ではない。

おまけに部活の指導もしなくてはならない。そのような日本の教育環境と比べ、コスタリカは対極にあるようだ。

とはいえ、子どもたちがマイペースで学んでいればいいというわけではない。

※小学生も落第する

学校現場での教育を知ろうと、小中学校の担当の先生5人に集まってもらったのは2017年だ。まず教育制度について聞いた。義務教育は憲法によって完全無償が保障されている。小学校には6歳と6か月で入学し、小中学校で9年間ある。3年ごとに日本の小学校低学年に当たる第一サイクル、高学年に当たる第二サイクル、最後の3年が日本の中学校に当たる第三サイクルと呼ばれる。

この時点でコスタリカ全国に4053の小学校があり、うち公立が3731校、私立が303校、半分公立で半分私立の学校が19ある。在籍する子どもは計40万1786人。小学校の教員は3万2368人だ。ジャングルや山奥など交通が不便な地にも、子どもが一人でもいれば学校を建てた。このため教師が一人しかいない学校が全体の3割、1261校ある。そこでは1年生から6年生までを一人の先生が教えている。公立小学校で通常の教育の先生は1万4669人、障がい児のための特別教育の担当の先生は189人いる。給食のためすべての学校に調理室がある。1学級は30人までで、それ以上になるとクラスを分ける。中学校は全国に960校あり35万人の生徒が通っている。

公立小学校の1週間の時間割は普通、算数8時間、理科6時間、社会4時間、国語（スペイン語）10時間、外国語は英仏イタリア語など5時間ある。ほかに宗教、体育、技術家庭、音楽、芸術が2時間ずつだ。週に43時間の授業がある。月曜から金曜までは朝7時から午後2時20分まで。土曜は7時から12時50分までだ。とはいえ、このカリキュラムが完全に実施されているのは157校に過ぎない。先生の絶対数が足りないためだ。

授業を終えて小学校から帰る子どもたち＝2019年、サンホセ

先住民の村では国語、算数、理科、社会は同じだが、先住民の言語に3時間、先住民の文化に2時間を充てている。バイリンガルのモデル校があり、英語やフランス語、日本語やイタリア語、ポルトガル語、中国語も教えている。「新しい市民を育てるためです」と言う。

いきなり驚くことを言われた。「小学校でも落第がある」と言う。各学年の学期の終わりにちゃんと習得できたかどうかを調べる試験があり、受からなければ留年する。1、2年生は出席するだけで上の学年に進めるが、3年生以上は授業内容を理解しなければ進級できない。三回留年すると昼間の学校だけでなく夜間学校にも通って遅れを取り戻さなければならない。12歳で卒業するときまでに他の子に追いつくようにするが、卒業できない子も出る。94%以上が中学に進学するが、6%は小学校に残留するという。

同行していた日本の教師が声を上げた。「小学校で落第なんて、子どもが可愛そうではありませんか」。するとコスタリカの教師から「日本ではすべての子どもが授業をきちんと理解するのですか」と逆に質問が飛んだ。日本では授業を理解できていなくても次の学年に上げてしまう。それは当の子どもにとって本当にいいことなのか、メンツにこだわって一生を棒に振ることにならないか、という問いかけだ。日本の先生は考え込んだ。

2013年から「新しい市民のための教育」という新しいプログラムを始めた。それぞれの子どもが自分の人生を見つけることを目的としている。それぞれの子どもに合った創造性に目をつけ、だれもが幸せで満たされるよう持続可能な人生設計をしていくのだという。個人で完結するのではなく同級生との共存、信頼関係を築き、道徳的な価値観を共有し、他人の言うことをうのみにするのではなく批判的な、自分自身の考え方を持つような人間を育てるのが目標だ。

教育のコンセプトは「民主主義、人権、平和」の三つ。概念を学ぶのではなく実践を通して学ぶ。自由とは何か、ということも知識として知るのではなく、友だちとの付き合いの中で共存を体験しながら理解する。平和や民主主義も概念ではなく学校や家族、社会、生活の中で実践しながらつかむ。

※図書館は幸せへの道

コスタリカ北部の隣国ニカラグアとの国境地帯の小学校の先生に聴くと、もう一つの側面が浮かび上がる。ニカラグアは内戦が終わったあとも社会が荒れたままだ。このためここ20年にニカラグアから50万人を超す大量の経済難民や移民がコスタリカに移住して来た。コスタリカはすべてを受け入れ、５年にわたって滞在した人にはコスタリカの国籍を与えている。コスタリカの人口はそれまで約４００万人だったから、人口の1割以上を引き受けたのだ。難民や移民の子どもたちも、この国にいるからには無償の教育を受けさせた。

ニカラグアでは学校に通わなかった子も多い。そんな子はコスタリカの学校に編入しても教室で席に着くことさえできず走り回っている。こうした子をどう教育するかで、コスタリカの先生たちとコスタリカにある国連平和大学が共同で平和教育プログラムを開発した。小学校では学年ごとに7つのテーマを設け、６学年で42の指針を作ったと、分厚い紙の束を手に女性教師が話した。

指針の最初は何かと問うと、人類の歴史を教えるのだという。地球の誕生から三葉虫、恐竜、哺乳類を経てようやく人類がこの世に出てきたことを教えると、「それまで教室を走っていた生徒がピタリと止まるんです。自分がかけがえのない存在だと理解し始めるのです」と語った。

この先生に「あなたの教育の目標は何ですか」と聞くと、「私の教え子が卒業する時に自分の頭で考え行動できるようにすることです」と答えた。自立した人間を育てるという目的意識が明確だ。また子どもの人権という場合、「温かい家庭で生活する権利があることも教えます」と言う。

コスタリカでは平和憲法をつくって軍事費を教育費に回すと決めた１９４９年から、国家予算の約30％が教育費に充てられてきたことはすでに述べた。２０１４年度は29・１％だ。実際に支出された数字をみると、手元の統計の２００９年で35・63％だ。

とはいえ問題もある。コスタリカ大学のチャコン教授によると、このところ経済の悪化とともに中流階級の貧困化や不平等が進んでいる。経済的な理由から学校に通えなくなる生徒が増えている。教育費の割合も減っている。コスタリカは「小さなスイス」と呼ばれ中南米諸国の中では教育が進んでいるが、開発途上国の重石（おもし）がのしかかる。

創立から１０６年になるという首都の小学校を訪れた。休暇の時期で生徒はいなかったが、きれいにかたづいている。先生は「1年から6年まで42クラスあります。今は一クラス最大30人いるけど、20人が理想です」と話す。

子どもたちが野菜を作る広い庭園に、大きなテーブルと椅子がある。青空教室として使うのだ。図書室の入り口には「幸せへの道」という札がかかっていた。読書し教養を増やすことが自分の人生の幸せにつながると思えば、子どもたちは喜んで図書室に入るだろう。

＊一人ひとり違うことを理解する

元教育大臣のレオナルド・ガルニエル氏に会って、この国の教育の歴史や今抱える問題を聞いた。哲学者のような重々しい顔立ちで、「コスタリカは、初等教育こそ出足は早かったが、中等、高等教育は１９６０年代は20％しか受けておらず、１９８０年代にようやく60％、ほぼすべてに行きわたるようになったのは２０００年代に入ってからだ」と語る。

理由は経済的な貧しさだ。国に費用がなく満足のいく学校が建てられない。貧しい家庭では子どもを畑で働かせるため、親が子を学校に行かせない。かつてはそんな問題があった。国が発展するにつれて学校の設備も整い、学校に食堂をつくること、交通手段を整えること、さらに奨学金の制度を立ち上げてきた。しかし、今も全員がちゃんと卒業できてはいない。教育の質が低いし、学校によって不均衡がある。教えるレベルに達していない教師もいる。

以前の授業では結果だけを教えていた。今はこんな現象があるが、なぜそうなるのかを教えている。先生が子どもたちに質問を投げかけるようにすると、子ども自身が答えに気づくようになった。ただ教科を詰め込むのではなく、より良い人生を生きるため、周りの人々と共に生きるために学ぶことを教えるのが教育だと、先生も考えるようになった。

かつて市民教育は、先生にとって一番つまらない課目だった。憲法も以前は、どの条文に何が書いてあるかを丸暗記する授業だった。今は自分たちの身の回りにあるものと憲法との関連を調べることから始めている。地域社会の共存など、問題点を洗い出して、その問題を解決するためには憲法のどの条文、どんな法律を適用すればいいかを考えるようにした。このため憲法や法律を使って自分で問題を解決するようになった。

とりわけ重視しているのは共生だ。暴力やいじめがある時代だけに、他人と共に生きるようにできることが大事だ。教育は生きるためにある。教科を教えるというよりも今後の人生を向上させる力を教えるのだ。

自分が大臣をしていたとき、世界で一番いい教育を子どもに与えようという思いでがんばった。だが、教育予算が十分ではない。義務教育は無償と言っても授業料や給食費、通学の費用がかからないだけだ。教科書や制服代は本人が負担しなければならない。ただ、貧困層には教科書も制服も国が支給している。

落第の制度はバカげているのでやめた方がいいと自分では思っている。２００８年までは1教科でも合格に達しないと、もう1年すべてやり直すという厳しさだったが、さすがにそれはやめた。きっかけは一人の生徒の疑問だった。「なぜたった1教科のために1年を棒に振るのか」というもっともな問いだ。そこで1～3教科で合格できなかったとしても、その教科だけをもう一度やればいいようにした。

たとえば3年生で算数を落としたら、４年生になって算数の授業のときだけ3年生の教室に行く。以前は小学校1年から留年があったが、３年以上に変えた。ただ、コスタリカの子は落第がないとなったら、その瞬間から勉強をしなくなるだろう（笑）。日本の教育のレベルとは違うのだ。

ジェンダー問題では気遣っている。生徒の名を男女別に分けるのではなく、アルファベット順にしている。制服はズボンが多く、女の子はスカートでもズボンでもいいことになっている。男の子がスカートをはきたいと言って校長が許さないことがあったが、公教育省が校長を説得してスカートでもいいようにした。

障がいを持った子のための教育も以前は特別クラスを設けていたが、今はすべて統合している。ただ、これには先生の力量が必要だ。障がいを持つ生徒もよほどの重症でない限り、一生懸命やっている。

こうした話を聴いたあと、教育で大切なことは何か、と最後に質問した。ガルニエル氏は「他の人と同じだと安心するのではなく、他の人と違うから誇りに思うという気持ちを持つことだ。一人ひとりが違うことを理解することだ」と語った。

※刑務所が子ども博物館に

小学生よりもっと小さい子への教育はどうしているのだろうか。

首都の郊外に、西洋の城のようないかめしい建物があった。石を積み上げた土台の上に緻密なレンガ造りで、窓には鉄格子がある。正面入り口の両側には監視塔のような塔がそびえる。子どもも博物館だと聞いてやって来たら、こんな厳かな建物だった。実は刑務所を改造したのだという。

刑務所が子ども博物館になった＝2019年、サンホセ

この国は兵舎を歴史博物館にしただけでなく刑務所も博物館にしたのだ。

母親に手をひかれた幼い子たちが中に入っていく。受付には親子連れがたむろしていた。窓口の壁に掲げられたプレートに文章が書いてある。「人は、自分の考えが及ぶことしか信じることはできない。そして自分で理解できることしか考えは及ばない」という警句だ。学習しなかったら頭の中の世界は狭いままだが、積極的に学ぶことによって自分の能力を拡げることができる、この博物館の展示を観て自分を賢くしよう、と言いたいのだ。

なぜ刑務所が博物館になったのか。元は１９１０年に建てられたコスタリカ最大の刑務所だった。収容されていたのは主に政府に反対する政治犯だ。収容の定員は３５０人だが、２千人近くがいたこともある。ところが刑務官は15人しかいなかった。あまりに過密だし人権侵害だという声が上がり、１９７９年に刑務所を廃止した。

そして子どもたちが学べる施設に転用することにした。大統領が国外を視察したさいに同行した大統領夫人が子ども博物館を見て、コスタリカでも造ることになったという。１９９０年に運営する財団をつくり、94年にオープンした。博物館の目的は子どもたちの文化を推進することだ。入場料は安く、学校から授業で来るときは無料だ。

いかにも刑務所らしい造りの石壁の廊下を進むと大きな看板が立ち、「コスタリカ　国土と国民」と書いてある。看板にはインコが飛ぶジャングルから人々が列をなして歩いて出てくるイラストが描いてある。一番奥には先住民、次いでスペインの征服者、奴隷を連れた開拓者、開拓農民の一家、籠を手に持つコーヒー農民、そして現代の夫婦と子どもだ。コスタリカの歴史をつくり上げた人々である。

中国人を描いた等身大の絵がある。19世紀にコスタリカに移民してきた中国人労働者だ。鉄道を建設するためにやってきたが差別の目を向けられたと、彼らの立場に立って書いてある。コスタリカの歴史を伝える人形劇もある。

部屋全体がピンクに塗られ、壁に白いものが並んでいるのは、口の中を拡大した展示だった。「口の役割」という表示があり、床には舌の絵が描かれている。幼児がおそるおそる踏み込んではしゃいでいる。ガラス瓶がどのようにして作られるかの工程を映像や模型で示す部屋、地震の体験コーナーもある。鉄板の上に乗ると板が振動する仕組みだ。頭で理解するよりも体感することを優先する。とにかく楽しい。子どもたちは遊びながら学んでいる。

※幼稚園から平和教育

幼稚園に行ってみよう。首都の貧困地区にあるフィンカ・ラ・カハ幼稚園を訪れた。4歳から5歳までの364人が在籍する。翌年に小学生となる年長組が9クラス、一つ下の学年が4クラスある。先生は14人だ。

ここでも最初に言われたのが「平和教育」だった。「共に生きる」ことをテーマとし、自分との平和、他人との平和、自然との平和の三つの平和を基礎に教えているという。「持続可能な開発の概念に基づき、自分自身をどうしていくかを考えるようにしています」と先生が語る。

日本の幼稚園とはそもそもの存在意識が違うようだ。実践を通して友だちと共に生きることを教え、価値観を築いていくという。例えばけんかをすれば、それを平和的に解決し、紛争解決はこうすればいいということを実地にわからせる、というやり方だ。

ここに通う子の多くは隣国のニカラグアからやってきた移民の子だった。親は建設現場やバーで働くなど、生活が不安定な家庭がほとんどだ。7割はシングルマザーである。幼稚園で食べる給食がその日のただ一度の食事、という家庭もある。

ニカラグアではゴミをゴミ箱に入れる習慣がないなど生活文化の違いがあり、先生たちはまともな日常生活を送ることから教えなくてはならなかった。ニカラグアでの生活の習慣を知り、それを尊重しつつ、コスタリカの文化を教えている。

「家庭環境は最低だけれど、せめてこの幼稚園にいるときは幸せを感じるような状況をつくろうと模索しています。子どもが感情的に安定すること、自分を確立し今後の人生を見据えることを支援するのが私たちの仕事。子ども自身が将来の職業ややりたいことを目指し、学習すればそれがかなえられることを教えます。目標を見つけさせることができれば、自分で幸せになることを夢見るようになります」

最初に耳にした「平和教育」の内容について細かく聴いた。

「平和教育はいろいろやっています。平和は単に戦争がないことではありません。他の国の人と力を合わせ、平等に、共に生きていくこと、健康な環境の下で生きること、それらすべてを含めて平和教育と考えています。まずは自分自身との平和をどう築くかが大事。問題を抱えていても、それをポジティブに解決することを目指します。自分が平和でなければ他人を平和にすることはできません。他人との平和は、まず自分が他人の権利を尊重する行動を示すことから生まれます。自分が孤立するのは平和ではありません。自分の存在が周囲をよくすることが平和の基礎です。公益とは、周りのすべての人に素晴らしいものをもたらす責任です。自分たちが住んでいる宇宙に対する責任です。自分と他人と自然との平和には責任が発生します。気候変動でも、自分たちが行うことが気候に影響を与え、それが自分にはね返ってくる。私たちは一人ではない。つながりあって生きているのです。子どもたちは大きな力を持っています。子どもが良くなることで次の世代や未来が良くなります。世界で紛争が起きるのは他人のことを考えないエゴからです。人生観、世界への意識の変革が必要です」と語る。

幼稚園に行けば園児と接してほのぼのとした気分になれるだろう、と思っていた自分が恥ずかしくなった。この国では幼稚園の先生からして、しっかりした教育哲学を持ち、平和を意識して教育を行っている。

※国歌で称えるのは労働と平和

コスタリカが今どのような状況にあるのか、政治や経済、社会、環境などを分析し毎年まとめ白書のような報告書を出している「国家の現況」という国の機関がある。その所長のホルヘ・バルガスさんは、コスタリカの歴史で教育がいかに重要だったかを語った。

貧しく小さな国だったコスタリカが生きやすい国となったのに、最も重要な役割を果したのは教育だ。他の中南米の国よりずっと早く教育に力を入れた。

義務教育を明確に宣言したのが1871年の憲法だった。それまで教育を支配していたカトリック教会の力を排除し、国が主体となって教育を行うようになった。スペインやフランスなどから教師を招き、さらに南米の先進国だったチリに人を送り出して教育の制度を学ばせた。これに対してカトリック教会はもちろん子どもの親も、そんなに教育の必要があるのかと反発したが、政府は教育の重要性を説いた。

カトリック教会を排除したさい、カトリックの司祭を国外に追放した。学校や墓地の管理を教会でなく国が行うようになった。カトリックの政党も禁止した。他の中南米諸国ではカトリック教会が地主と結びついて人々を奴隷のように使う社会が20世紀まで残っていたが、コスタリカでは早くから政教分離を徹底したのだ。

学校が普及した20世紀の初めには、国民すべてが教育の大切さを認識するようになった。そのころすでに兵士の数より教師の数の方が多かった。人々はそれを誇りに思っていた。

１９０２年に教師の一人が国歌を作詞した。歌詞の最後は「澄み切った青い空の下で、常に生き続けよ、労働と平和」だ。国歌といえば独立戦争の勝利や国民の団結を歌うことが多いが、コスタリカの国歌は平和を称える。こうした伝統なくしては、軍隊を禁止する平和憲法は生まれなかっただろう。平和の構築に教育は大きな役割を果たしてきた。

平和は学校の市民教育で教えている。平和な文化や民主的な共に生きるという考え方だ。小さいころから児童会の選挙などを通じて、自由に投票できることの重要性を教えている。祝日や独立記念日に平和な文化への意識を高めている。

こう話したうえで、最後に語った。

軍隊を持って戦っても米国には勝てない。ならば、なぜ軍隊にカネをかける必要があるのか。それに軍人が政権を牛耳るような国をまねしたいとは思わない。軍隊にカネをかけなかったから教育や医療に費用を出すことができた。平和国家を創ったのは生きるための手段だった。

5　小学生も違憲訴訟──人権国家

※大学生が大統領を憲法違反で訴えて勝った

小さいころから民主主義を身に着けると、どんな若者に成長するだろうか。コスタリカの大学生が大統領を憲法違反で訴えて勝ち、大きな話題になったのは２００４年のことだ。

その前の年、２００３年にアメリカがイラク戦争を始めた。ブッシュ米大統領が世界に支持を呼びかけると、コスタリカのパチェコ大統領と外相が連名で支持を表明した。このためホワイトハウスのホームページにアメリカの有志連合国としてコスタリカの名が載った。

大統領の行動は憲法違反だと裁判を起こしたのは、コスタリカ大学法学部3年で当時22歳のロベルト・サモラ君だ。「軍隊の禁止を確立した１９４９年の憲法以来、コスタリカ国民は平和主義に基づいて行動し、暴力と武力紛争から決別することを明確にした。大統領らの行動は平和を求める憲法の精神や１９８３年の中立宣言、世界人権宣言などに違反している」と訴えた。

大学生がたった一人で大統領を相手取り、憲法違反の裁判を起こしたことはコスタリカ国内でも大きなニュースとなった。ロベルト君のほかにも弁護士協会などが別個に違憲訴訟を起こし、まとめて憲法裁判所で審理が行われた。ロベルト君は傍聴する２００人の前で平和憲法の精神を訴えた。判決が出たのは2004年9月で、提訴から1年半。ロベルト君の全面勝利だった。

私はすぐに判決文を取り寄せた。「イラク戦争に関して行政府が行った決議に対し、憲法と永世・積極的・非武装中立宣言、国連憲章、国際人権規約に違反していることを宣言する。行政府は、ホワイトハウスのウエブ・ページに掲載されている有志連合のリストからコスタリカの名を削除するよう、米国政府に対して必要な措置をとれ」と書いてある。

判決は、パチェコ大統領が米国の戦争を支持した行為は憲法違反だとはっきり認めた。そしてアメリカ政府に連絡して有志連合のリストからコスタリカの名を削らせよと命令したのだ。パチェコ大統領はすぐに判決に従った。ホワイトハウスのホームページからコスタリカの名が消えた。

大統領に違憲訴訟して勝利した判決文を見せる大学生時代のロベルト・サモラ君＝2004年、本人提供

私はこの記事を書いた記者からロベルト君のメール・アドレスを教えてもらい、すぐに彼にメールを送った。「なぜ違憲訴訟を起こしたのか」など五項目の質問を書いた。すると、わずか5時間後に彼から返信が届いた。

スペイン語の細かい字が50行以上も続いている。訴訟を起こした理由は「大統領が他国の戦争を支持するなど、民主主義国ではありえないことだ。我々は平和の民で、だれであろうと人を殺すことは肯定できない。民主主義と人権を掲げる国の市民として、大統領が私や国民の権利を侵していると考えたから提訴に踏み切った」と書いている。

大学生が憲法違反の訴訟を起こすのは大変だったろうという質問に「困難なことは何もなかった。この国の法律で、簡単に提訴できることになっているから」と彼は答えた。憲法違反の訴えが簡単に起こせるという意味を私がきちんと知るのは、あとになってからだ。

「判決を聞いたときはうれしかったし、満足もした。この判決は歴史的なものだと思う。これをきっかけに、コスタリカや世界そして人類のために社会的に行動していきたい」と、判決への感想に加えて今後への決意表明まで書いている。最後に「知る限りでは、僕が大統領を訴えたことを批判する人は一人もいなかった」と、周囲の支援への感謝の言葉がある。

❊小学生も違憲訴訟する

ロベルト君が間もなく日本にやってきた。社会民主党の党首を務めた故土井たか子さんが招いたのだ。私は土井さんの誘いを受けて、都内の土井さんの事務所で彼に会った。

痩せて色黒の、精悍そうな若者だ。目がぎょろぎょろしている。ともあれ、憲法違反の訴訟を起こした時のことを質問した。いくら法学部でも日本の大学生が違憲訴訟の訴状を書けるとは思えない。どうして彼にはそれができたのだろうか。「当時、憲法裁判所にインターンで通っていた。そのときにいろんな訴状に目を通していた」と言う。コスタリカでは大学の法学部を卒業すると弁護士資格を手にできる。そのための実務を学生時代に裁判所や弁護士事務所で研修生として学ぶのだ。

それにしても日本で大学生が憲法違反の訴訟をたった一人で起こすなど考えられない。よくやったね、と水を向けたとき、彼の声に驚いた。平然とした顔で「コスタリカでは小学生も違憲訴訟を起こしている。大学生が違憲訴訟をして何が不思議なの？」と言ったのだ。

ん？　小学生が違憲訴訟をする？

そういえば２００２年にコスタリカの最高裁判所を訪問したとき、そんな話を聞いた覚えがある。あわててメモ帳を探してみた。あった。男の子から最高裁判所に手紙が届いた。お兄ちゃんがどこかの施設に連れられて行ったので取り返してほしい、という内容だ。調査官が調べると、この子の父親が「お兄ちゃん」を虐待していたので近所の人が福祉施設に通報し、施設の職員が保護したのだとわかった。

調査員は調査の内容を少年に告げ、最後に違憲訴訟を起こすかどうかと意志を確かめた。少年は調査に納得して訴訟をしないことを決めたという。子どもの行動に対して迅速かつ当事者が納得するまで調べ、それでも最後は子どもの意志を尊重する徹底したやり方だ。

このようにコスタリカでは小学生も、ごく普通に憲法違反の訴訟をする。一見ささいと思われる個人的なことまで、最高裁判所が憲法の名のもとにきちんと調査し、訴えた当人に結果を知らせる。それを行うのが憲法裁判所という違憲審査を専門に扱う裁判所だ。

※愛される権利

それにしてもよく小さな子が憲法違反という仕組みを知っているものだ。そもそも子どもが憲法を知っていることに驚く。ロベルト君に聞くと、なんでもないように答えた。「コスタリカでは小学校に入学した子どもたちが最初に先生から習う言葉がある。『人はだれも愛される権利を持っている』だ」

「愛される権利」とは、つまり基本的人権だ。小学校1年生に基本的人権と言っても理解しにくい。でも「愛される権利」ならわかる。憲法の中でも一番大切な人権を小学校入学と同時にすべての子どもが教わるのだ。さらにロベルト君は言った。「もし自分が愛されていないと思ったら、憲法違反の訴訟に訴えることができると、その時に教わる」。子どもは素直だから、教わった通りに実行する。だから小学生が憲法違反の裁判を起こすのだ。

小学校に入学した子にまず「基本的人権」を教えるなど、日本では考えられない。いや、世界でもあまり例がないのではないか。この国がいかに人権国家を目指しているか、このことだけでもわかる。

だが、ちょっと待ってほしい。日本では裁判を起こすとき、訴えの内容を書いた訴状が必要だ。そのような難しいものは子どもには書けないではないか。それに裁判を起こすと弁護士への支払いなど多額の費用がかかる。子どもはそんなカネを持っていないではないか。

それをロベルト君に聞くと、彼の場合は自分で訴状を書いたが、普通はそんな書類などいらないという。弁護士は不要だし、費用もかからない。ロベルト君の場合、かかった費用は「日本円にして12円だった」という。提出した書類の紙代だけだ。

何なのだ、これは。あぜんとするではないか。日本とあまりに違う。日本にはない憲法裁判所という仕組みに興味を覚えた私は、あらためてコスタリカを取材に訪ねた。とくに関心を持って毎年のように訪れているのが、この憲法裁判所だ。

※憲法裁判所

首都サンホセの中心部に灰色の見上げるような壮大な建物がある。最高裁判所だ。壁面の浮き彫りは「正義の女神」が天秤を頭上高く捧げる姿で、裁判の公正さを表す。正面玄関の石段を上って玄関を入るとすぐ右側にあるのが、違憲訴訟を受け付ける窓口だ。窓口で係官と話している人がいるし、その後ろには順番待ちの人が座っている。

２０１２年に訪ねたとき、案内してくれたのは広報担当のスヘイ・コトさんだ。２階に最高裁判所の22人の判事全員が週に一度、一堂に会して審議する大会議場がある。馬蹄形（ばていけい）に椅子が置いてあり、中央の要の部分が裁判長席だ。設置されているマイクは日本のソニー製だった。裁判長席に座ってコトさんの説明を聴いた。

最高裁判所には法廷が４つある。第一法廷は民事訴訟を、第二法廷は労働問題や家庭の案件を、第三法廷は刑事事件を扱う。そして第四法廷が憲法に関することだけを扱う。このため、別名「憲法法廷」あるいは憲法裁判所と呼ばれる。憲法法廷の判事は7人で任期は8年。議会によって任命される。

憲法法廷の役割は、①憲法がきちんと守られるようにする ②基本的人権の擁護 ③少数派を守る ④しかるべき通説の尊重 ⑤平等と正義を住民のすべてにもたらす、などだと言う。

具体的にどんなことを審議するのだろうか。多いのは人権が侵害されたという訴えだ。庇護申請という。次に身体的な自由の保証。ここまでは弁護士がいらず本人だけで訴訟できる。違憲訴訟が簡単にできるのは弁護士がいらないからでもあるのだ。

3番目が狭い意味での違憲審査だ。具体例として、1994年の憲法法廷で健康で現実的に均衡のとれた環境への権利、つまり環境権を定めたことを挙げた。ほかにも国会が法案をつくる前にあらかじめ諮問してくることもあるという。

あらためて小学生が違憲訴訟を起こした様々な例を聞いた。小学校2年生、8歳のケースだ。少年が通う学校のそばに、汚水が流れる水路があった。悪臭がひどくて校庭で遊べない。それでも夢中になってサッカーボールを蹴って遊んでいるうちに、ボールごと水路に落ちてしまった。この少年は「子どもが夢中になって遊ぶのは当たり前だ。国は川に落ちないように柵を作るべきだし、それより前に悪臭が出ないようにすべきだ。僕たちは子どもの時代を楽しむという権利を侵された」と、国を相手取って憲法違反の訴訟を起こした。少年は勝ち、最高裁は国に対して水路にふたをかぶせてふさぐよう命じた。

日本では、考えられない訴訟だ。そんなことで憲法違反の対象になるのかと再びあぜんとした。コスタリカでは、人権に少しでもかかわるなら違憲審査の対象になるのだ。

小学生による訴訟は、ほかにもたくさんあった。小学校の隣の空き地にゴミが大量に棄てられた。臭いがひどく落ち着いて勉強できない。そこで子どもたちがゴミを捨てた業者を相手に憲法違反の訴訟を起こしたという。思わず「ゴミを捨てたくらいで憲法違反になるのですか？」と聞いた。帰って来た答えは「ゴミを捨てたことよりも、子どもたちの学ぶ権利が侵されたことが問われたのです」と言う。先生や親が間に入ったのではなく生徒自身が「僕たちの学ぶ権利が侵された」と違憲訴訟に訴えたのだ。最高裁は子どもの環境に対する権利を認め、業者に対してゴミを回収し不法投棄をやめるよう判決を下した。

憲法裁判所の窓口に訴えに来た人々＝2020年、サンホセ

ほかの例を聞いた。小学校の校庭に校長先生が自家用車を停めた。このため遊ぶスペースが少なくなったと、子どもたちが校長を相手に違憲訴訟を起こしたという。「車を停めたくらいで憲法違反になるのですか？」と問うと、「車を停めたことよりも、それによって子どもたちの遊ぶ権利が侵されたことがいけないのです」

と言われて納得した。判決は、校庭は子どもたちが自由に遊ぶ場所だと校庭の定義から始まり、校長の行為は子どもたちの権利の侵害に当たると、校長に校庭での駐車を止めるよう命じた。日本とのあまりの違いに気が遠くなりそうだ。

＊もしもし憲法違反です

２０１５年に訪れたときは広報担当であり憲法学者でもあるロドリゲスさんが、さまざまな問いに専門の立場から答えてくれた。子どもでさえこのような訴訟をするなら、大人の訴訟はどのようなものだろうか。

おじいさんが薬局に行って薬を買おうとしたら在庫がなかった。それでは憲法で定められた健康な生活が送れないと、おじいさんは違憲訴訟を起こした。判決はおじいさんの訴えを全面的に認め、その薬局に薬を常に置いておくよう、またおじいさんがどこに旅行しても大丈夫なように国内すべての薬局にこの薬を置くよう、政府に命じた。

感動するではないか。日本でも憲法25条で「健康で文化的な最低限度の生活」が保障されているが、政府は憲法の規定を無視する。国民もまた健康な生活が送れなくても仕方がないと最初からあきらめる。それとは対極的なのがコスタリカだ。

人権を侵された当人でなく第三者が訴えてもいい。外国人でもいい。訴えの内容の調査は憲法法廷が行うので、訴える人が弁護士を雇う必要がない。至れり尽くせりの制度だ。憲法違反の受付は1年３６５日、１日24時間、窓口を開いている。人権を守ることが何よりも優先するという考えの現れである。

いや、裁判所まで来なくてもいい。手紙でも、電話1本でもいい。「もしもし憲法違反です」と伝えればいい。ファクスでもいい。書類の決まった様式などない。何でもいいから書いてあればいい。ビール瓶のラベルの裏に書いた人がいたし、朝早く来てわきに抱えていたフランスパンの包み紙に書いた人もいたという。「そんなものでいいのですか?」。私は思わず、声を上げて聞き直した。不思議の国のアリスになった気分だ。

しばらくして、それもいらなくなった。今や携帯電話やスマホから違憲訴訟が気軽に入ってくる。判決もメールで送られる。こうして市民が気軽に違憲訴訟するのだ。

※人権は守られなければならない

念のためにもう一度記そう。自分の自由が侵されたとか不当に束縛されたと思うなら、だれでも違憲訴訟に訴えることができる。「だれであろうと、人権を侵されたら、ここに来て訴えることができます」とロドリゲスさんは言う。

それにしても、なぜ訴えの窓口をいつも開けておくのだろうか。

「基本的人権は常に守られなければならないからです」とロドリゲスさんはきっぱり言う。「人間が自由を奪われるケースでは直ちに対応することが求められますから、即応できるようにしています。市民の人権を守るには迅速な対応、迅速な回答が必要です」

こうしてコスタリカでは憲法の平和条項だけでなく、憲法のすべての条文を市民が活用するようになった。憲法は絵に描いた餅ではなく、実際に国民の生活に適用されるべきであり、憲法に書かれた理想は社会に実現されなければならないという強い信念がある。みんなで憲法を活かして不備を正し、社会を理想に近づけていこうという発想だ。

一見、訴訟社会のように見えるが、違憲訴訟は個人の利益のためではない。社会のおかしな点に気づいた人が指摘し、みんなの手でより良い社会を創ろうという発想に立っている。みんなのため、社会をよくするための訴訟だから無料なのだ。普通の民間の争いごとなら、もちろん費用がかかる。

ロドリゲスさんはアメリカの大学で憲法を講義した経験もある学者だ。最後に憲法とは何かを明確に語った。「憲法は国民の権利を保障し、権力者の権力の及ぶ範囲を制限するものです」。この点は日本国憲法でもきちんと書かれているが、日本ではとかく国民が守らなければならないものだと思われている。だから日本では憲法は敬遠されがちだ。

日本の憲法は99条で、「この憲法を尊重し擁護する義務を負う」のは天皇や大臣、国会議員、裁判官その他の公務員だと書いている。憲法を守らなければならないのは政治家や官僚たちの方であって、国民は憲法を権利として使えばいい。コスタリカはまさに国民が目いっぱい憲法を使っている。

その後、憲法裁判所は最高裁判所の建物から分かれて新築された。あまりにも訴訟が多いからだ。２０２０年に新しい憲法裁判所を訪れると、ガラス張りのきれいなビルだ。中を案内されていると、憲法裁判所のトップにいるフェルナンド・カスティジョ長官が顔を出した。「人権が常に保護されているようにするのが私たちの仕事です。この裁判所はだれにもオープンで、外国人も訴えることができます。可能な限り速やかに結論を出し、権利の侵害を防ぎます」と気さくに語った。

法の番人が難しい法律の用語を振りかざすのでなく、だれにもわかる言葉で語るところに、そして国外からの見学者に長官が気軽に接するところに、この国では憲法が国民の身近にあることを実感する。

現在の新しい憲法裁判所の様子や、そもそも憲法裁判所がなぜできたのか、その仕組みや役割などは第3章で詳しく触れよう。

憲法裁判所のフェルナンド・カスティジョ長官＝2020年、サンホセ

※平和の権利

大統領を憲法違反で訴えて勝ったロベルト・サモラ君に話を戻そう。彼はコスタリカの大学を出て弁護士資格を得たあと、ドイツにわたって人権を専門に学んだ。その後、日本に住み国際ＮＧＯ

ピースボートのスタッフとなった。２００７年にコスタリカ政府が核燃料施設と原子炉の建設を許可したことを知ると、憲法で定められた平和に対する権利と健康的な環境を享受する権利への違反であると主張して、またも違憲訴訟を起こした。

憲法裁判所での審理の結果、２００８年にロベルト君の訴えは認められ、大統領の決定は無効とされた。彼は大統領に対して再び勝利したのだ。この裁判を通じて国民に「平和の権利」が存在することが公式に認められた。国際的にも平和を促進する国の積極的な義務が定められた。平和の権利という言葉がコスタリカ憲法に直接出てくるわけではない。ロベルト君が平和条項を説明する中で持ち出した権利を、裁判所が認めたのだ。

彼はその後、コスタリカで弁護士事務所を開き、今は人権や労働問題を専門に弁護士として活躍している。活動は国際的で、スイスのジュネーブの国連人権委員会で平和の権利についてスピーチした。首都から北に10キロ離れたエレディア市にある彼の自宅兼事務所を訪ねた。

何歳のころから弁護士を目指そうと思ったのかと問うと、「3歳のとき」だと言う。冗談かと思ったら、「理由は思い出せないが、他の子が警察官や消防士になりたいと言っていたときに僕は弁護士になりたいと言っていた」と真顔で言う。

あらためてコスタリカの平和について意見を聞いた。「軍隊を廃止したこと以上に、平和の文化を創り上げたことが重要だ。軍隊を持つことは恐怖心を持ち込むことだ。コスタリカは恐怖の要因となるものをなくし、安心して生きて行けるようにした。平和憲法を持ったことで敵がいなくなり、友好国をたくさん作った。平和な時代に軍隊を持つことは国の発展を邪魔することになる。コスタリカのまわりの中南米の国々はこの70年間、起きてもいない戦争のために軍事費を増やした。そのカネを貧困や飢餓、住宅不足などにまわせば今の問題は起きなかっただろう」

日本の現状について聞くと、「理解できないのは、日本の政治家が日本を誤った戦争の方向に導こうとしていることだ。なぜ再び苦しみの方向に戻そうとするのか、彼ら政治家が求めているのは平和ではなくカネだ」と吐き捨てるように言う。

ではロベルト君が日本人ならば、どうするだろうか。「政治を人々の手に取り戻す。戦争になってからでは遅い。今のうちに国民が力を合わせて政治的な意見を最大に盛り上げることだ。国民が政治を自分のものにすることだ」

日本で生活した彼に、コスタリカと日本との違いを聞いた。

「日本では上司に対して意見を言いにくい。コスタリカでは部下が上の人に意見するのは当たり前だ。それで上司の間違いが正されれば、上司も良かったと考える。コスタリカでは人々が憲法を使うシステムができている。日本にはそれがない。問題は人々が憲法をどう使うかだ。平和はすでにあるものでは

弁護士となったロベルト・サモラ氏と筆者＝2019年、エレディア市の弁護士事務所

ない。常に模索するものだ。誰もが一生、終わりなく模索するしかない。憲法は作られたからといって、それで終わりではない。日本もコスタリカも、それは同じだ。憲法を使うことによって平和の形はできていく」

一息ついで、こう話した。「正しいと思ったことは正しいと主張することが必要だ。ほら、日本語で何と言ったっけ、そうだ、ガンコ（頑固）に、ね」

今、鮮やかに思い出すのは、彼が日本で講演したさいに言った一言だ。「憲法が危機に陥ったとき、国民には闘う義務がある」。大統領を訴えたときの理由を聞かれて答えたのだが、今まさに日本の国民に突き付けられている言葉ではないだろうか。

※刑務所にホットライン

コスタリカの人権擁護の仕組みは憲法裁判所だけではない。違憲訴訟の判決まで待てない緊急の人権問題の解決のため住民擁護官という制度がある。いわゆるオンブズマンだ。

人権がきちんと守られているかどうかを監視し、違反があればただちに是正するよう勧告する。事務所が創設されたのは1994年だ。首都にある本部のほか地方にも3か所の支所があり計180人の職員がいる。

本部を訪れると、宇宙船を思わせるような円形の建物だ。すべてガラス張りである。人権は円滑なものであり透明性を確保する、というコンセプトを反映した設計だという。「不当な扱いを受けたとき、当然受けられるべき扱いを受けられなかったときは、だれでもここに訴えることができます。外国人でも観光客でもかまいません。役所に不正があると思ったら、それをここで言えばいい。私たちが役所を追及します」と担当者は話す。

たとえば、と最初に挙げた例を聞いて驚いた。「刑務所に4台のホットラインを引いています。受刑者が刑務官に拷問されるなど不当な扱いを受けていないか、逮捕された際に警官から暴行されなかったか、などの訴えを直接聞くためです」という。刑務所の係官を通じることなく、受刑者と直接話す仕組みを作ったのだ。

84歳の高齢者が白内障の手術をしなければならないのに3年待たなければならないと言われた。そんなに待てないという訴えを受けて病院と交渉し、手術ができるようにした。先住民の村の川に橋がなく病院も学校もないので何とかしてほしいという訴えがあった。いろんな役所と掛けあい5年かかったが、橋も病院も学校もできた。

ほかにも男女差別、高齢者や先住民、障がい者への差別、ひどい住環境、騒音や排気ガスなどの公害、汚職、劣悪な労働環境、子どもの権利が侵されていないか、生活できるほどの年金がきちんと受け取れているかなど、寄せられるテーマはいくらでもある。人権にかかわるすべての不満の受け皿になっているのだ。２０１９年の1年間で訴えが2万7千件あったという。

２０２０年には人権教育を行う部署を新設した。公務員に対して人権の研修をする。さらに社会的な対話を仲介するプログラムも始めた。経済の悪化や犯罪の増加などで暴力的なデモが起きるようになったが、それを予防するために対話で交渉するよう働きかける。活動の中で気づいたことが法律になるよう、国会に法案を提案してもいる。

新たにスタートした人権教育部の職員8人に会った。代表は35歳の女性フェデリコさんだ。国連人権高等弁務官事務所と契約して人権教育のプログラムを整備し、今後は政府機関だけでなく一般企業にも人権教育を行っていく方針だという。

憲法裁判所との違いはなんだろう。憲法裁判所は憲法に規定されていることを扱い、判決に拘束力がある。こちらは何でも扱うけれど指導に拘束力はない。その違いだという。

政府機関が簡単に指導に従うのだろうか。「私たちは国の機関であって政府の機関ではありません。役所が言うことを聞かない場合は、最終的には警察力を借りてでも守らせます。あるいはマスコミを通じて社会的な圧力をかけます。そのようなことができるほどの信頼を、私たちはすでに国民から得ています」と力強い返事が返ってきた。

国立大学で人権を教えるベルノ・ムニョス教授はこう語った。「1948年に国連で人権宣言が出された。翌年にできたコスタリカ憲法だけに、人権宣言の最も大切な部分が入っている。公的機関が市民の権利を損なわないようにし、市民の権利を促進することがオンブズマンの役割だ。人生の最終目標は幸福になることであり、オンブズマンはそのためにある」

第2章

人間にも自然にも優しい環境と社会

木の枝にぶら下がって葉を食べるナマケモノ＝2012年、コスタリカ北部

1 環境の平和

※ナマケモノや幻の鳥に出会う

バスに乗って首都から北東へ。カリブ海に面し、ウミガメの産卵で名高いトルトゥゲーロ国立公園を目指した。3時間ほど走ったとき突然、バスが停止した。前を行く数台のバスが止まって、降りた人々が道路ぎわに集まっている。何か野生動物がいるらしい。

ナマケモノだった。バス道路のすぐそばに草原が広がる。約20メートル向こうの高さ15メートルほどの木の枝に、黒っぽい動物がぶら下がっている。カメラの望遠機能を使って見ると、褐色の毛に覆われ体長は60センチくらい。3本の手と足で枝にしがみつき、残る1本の手で何か取って食べている。

もう少し走ると、こんどは道端のすぐそばの木に、しかも目の前5メートルの近さでナマケモノが枝にしがみついていた。ナマケモノには指が2本のフタユビナマケモノと3本のミユビナマケモノがある。ここにいるのは動きが速く性格が荒いフタユビナマケモノだ。木はセクロピアという名で、ナマケモノはその新芽を食べている。鉤（かぎ）のような長い爪を木に引っ掛けてぶら下がっているのだ。

動きが速いと言っても、そこはナマケモノだ。ほとんど動きが見えない。じっとしているからじっくり観察できる。それにしてもこんな無防備な動物がバス通りのすぐそばにいることが驚きだ。コスタリカでは野生生物の保護が徹底しており、人間から捕獲される心配がない。だから人里にやってくるのだ。

この国では自然そのものが動物園のようだ。ちなみにコスタリカには動物園がない。動物を檻に入れて人間の見世物にするのは動物の「人権」を奪うものだという考えがある。昆虫採集も死骸を集めるだけで、生きた昆虫を採って命を奪うことは禁止されている。日本では私も小学生のとき昆虫採集を夏休みの宿題とし、目につく昆虫を片端から採って虫ピンで刺して標本にしたものだ。あれは採集というより乱獲だった、研究という名を借りた生物の殺戮だった、と反省する気持ちになる。

国立公園を突き抜ける大きな道路を造ろうとしたさい、そんなことをすれば動物たちが道路をはさんで分断されると批判が出た。そのためにトンネルを掘って人間が地下を通るようにしたという。これがコスタリカで唯一のトンネルだ。自然破壊をしないよう、なるべくトンネルを造らないようにしている。

トルトゥゲーロ国立公園に着くと、エコツアー専門のロッジに泊った。中庭の木の枝に天然記念物のアカメアマガエルがいた。親指ほどの大きさでギョロッとした黒く丸い目に赤い縁どりがある。「木の妖精」というあだ名があり、ひょうきんな表情も仕草も可愛い。

翌朝、ボートで川を遡ると、沿岸の樹の枝に体長1メートルを越える黄褐色のイグアナがあちこち寝そべっていた。恐竜を小型にしたような姿で見かけは怖いが、草食で性格はおとなしい。頭上高い位置からグオーッ、ガオーとすさまじい声で鳴くのはホエザルの縄張り争いだ。低木を飛び回るのは「世界で最も美しい蝶」と言われるモルフォ蝶。強烈な日差しに青光りする羽を輝かせながら飛びまわる。

川面ではワニが目だけ出してこちらを見つめる。水面に突き出た倒木でカワウソが日向ぼっこをし、瀬にはユリカモメのような白い鳥が10羽ほど一列に同じ方向を向いて羽根を休める。ボートの音に驚いたカメレオンのようなトカゲが水面を走って逃げた。全身、鮮やかな緑色をしている。エメラルド・バシリスクだ。1時間半、ワクワクし通しである。

首都に帰り、世界一美しいと言われる鳥を観に行った。早朝4時に起きて車に乗り約2時間。やって来たのはセロ・デ・ラ・ムエルテ（死者の丘）と呼ばれる山間の林だ。車を降りて起伏の激しい山道を15分歩いた。

10メートル先の樹の枝に、緑色というよりもエメラルド色の輝く毛に覆われた尾の長い鳥がとまっている。胸の羽根だけは燃えるように赤い。「幻の鳥」と呼ばれ手塚治虫氏の「火の鳥」のモデ

「幻の鳥」と呼ばれるケツァール＝2015年、セロ・デ・ラ・ムエルテ

ルとも言われた鳥・ケツァールだ。尾を入れると体長は1メートルにもなる。クリっとした丸い目が可愛い。

しばらく青空を見上げていたが突然、バサバサと羽ばたきながら豪快に飛翔した。長い尾をなびかせて飛ぶ姿は優雅であり豪快でもある。とまっていたのはアボカドを小さくしたような実がなるリトル・アボカドの樹だ。ケツァールはこの実が好物で、この木を探せば鳥も見つけやすいという。

＊エコツーリズム発祥の地

コスタリカは貧しい開発途上国にもかかわらず、平和、教育、人権で世界の先端を行くが、もう一つ世界のトップを走るものがある。それは環境だ。世界はようやく自然環境を守ろうと動き出したが、コスタリカはずっと前から自然保護に取り組んできた。

この国は環境保護の先進国だ。「エコツーリズム発祥の地」と言われ、海外から毎年２００万人を超すエコツアー客がやって来る。北海道の6割もない狭い国土に、地球上の全生物種の５％に当たる生物がすむ。中でも蝶類は10％で、全アフリカ大陸にすむ蝶の種類を合わせた数よりも多い。国土の4分の1を超す26％が国立公園や自然保護区に指定され、太平洋上のココ島は原始の森さながらで映画「ジュラシック・パーク」のモデルとなった。

昔からの自然をそのまま保っているのではない。歴代の政府が環境に取り組んできた成果だ。

1969年に森林伐採認可の規制と森林局の創設を定めた最初の森林関連法を制定した。1989年にはサンホセ近郊に国立生物多様性研究所（インビオ）が設立され、国内の保全エリアにすむ生物の台帳づくりを始めた。1993年には野生生物基本法が制定され、94年には環境エネルギー省が創設された。この94年には憲法を改正して環境権を取り入れた。憲法第50条の「福祉、生産と富の最適な配分の権利」に加えて、「すべて国民は健康で生態的に均衡のとれた環境に対する権利を持つ」と明記した。

さらに1995年には環境基本法、96年に木の伐採に細かい条件をつけ私有地でも勝手な開発を禁じた森林法、これらを統合してあらゆる生物の保全を目指す生物多様性法が1998年に制定された。豊かな自然は放っておいてできたのではない。環境を保護するという明確な指針のもとに法を整備した成果だ。保護区の入場料でガイドを育成し、環境整備の費用に充てた。

※平和から自然保護へ

コスタリカの人々がもともと環境保護に熱心だったのではない。きっかけは外からやってきた。それも環境と平和が連れ立って来た。

1950年に朝鮮戦争が始まると、米国は国連軍の名で朝鮮半島に米軍を派兵した。このために米国内で徴兵が行われると、悩んだのがキリスト教の一派で平和主義者のクエーカー教徒だ。宗教上の信念として人を殺す戦争に加担できないし、戦争のための特別税を払うこともできない。

南部のアラバマ州で徴兵を拒否したクエーカー教徒の若者４人は1年間の禁固刑を言い渡された。４か月後に釈放されたものの、もはや米国で生きることをあきらめ、他国への移住を決意した。

平和に暮らせる国として選んだのが、前年に平和憲法を制定したばかりのコスタリカだ。コスタリカは当時から移民を積極的に受け入れており、話は早かった。翌１９５1年、クエーカー教徒の11家族44人がアラバマ州を出発してコスタリカにやってきた。首都サンホセで半年暮らしながら移住先を探し、これだと決めた地が中北部の標高１４００メートルに広がるモンテベルデ地区だ。モンテ（山）ベルデ（緑）の名が示すように、深い緑に覆われた山の奥地である。

今でさえ首都から車で3時間半かかる山の中に、当時は舗装されていなかった山道をたどって入植した。１４００ヘクタールの土地を買い、森を切り開いて家や学校、教会、集会所を建てた。協調、平和、素朴さをモットーとする彼らは、最初から環境の保護を考えた。土地の3分の1を越す５５４ヘクタールを保護区として人間の手を加えないことにした。水源地の近くの木は伐らないことを申し合わせた。

環境を大切にすると、生物学者たちが訪れるようになった。絶滅危惧種の珍しいカエルが発見された。保護区では銃を持ち込まないので鳥が集まり、バードウオッチャーがやってくるようになった。しだいに自然保護の聖地として認められるようになった。

１９７2年にモンテベルデは自然保護区に指定された。１９８０年代になるとこの地区で自然を観察するツアーが組織的に行われるようになり、エコツーリズムとして発展した。平和の思想は、人間だけが生き残るのでなく人間が他の生物やすべての自然と共に生きることを目指す環境保護の考えを生んだのだ。

「我々がこの地に来たことが戦争に反対する大きな力になるとは思わない。まして人類に普遍的な平和をもたらすことになるとも考えない。しかし、大海の大波も元はといえばどこかで起きた小さな波紋から始まった。我々の行動は他の人々に考え行動させる波紋となり、世論の波は最終的に望むべき結末を成し遂げるだろう」。入植した初期のリーダー、アーサー・ロックウェルはそう語っている。

モンテベルデのクエーカー教徒たちが遺した功績はほかにもある。彼らは現金収入を得るため牧場で牛を飼い、チーズを作った。酪農の経験者はおらず、ヨーロッパに人を派遣してチーズの製法を学んだ。その技術を地元のコスタリカ人に教えた。このためコスタリカの村人もチーズを作るようになった。チーズは今やコスタリカの特産品の一つである。

平和と自然保護を求める米国人、他国の移民を受け入れるコスタリカの政策、それが相まってエコツーリズムが生まれ、コスタリカ自身が経済的に潤うようになったのだ。このあたりはスイスとよく似ている。スイスもフランスで迫害された新教徒を受け入れた。その中に時計技師がいた。水量が豊富で水質も良い環境が精密機械にぴったりだったため、スイスに時計産業が発展した。移民を受け入れることが新たな産業の発展につながる。日本のように難民や移民を排除するのは、将来の発展を捨てるようなものだ。

※大統領をやめ環境保護に

モンテベルデのエコツーリズムを私が最初に体験したのは2002年だった。首都サンホセからバスに乗り、熱帯雲霧林と呼ばれる雲と霧に包まれた森に入って1時間。エコ・ロッジが見えた。バス停でバスを降りると滝のようなスコールだ。豪雨の中、両手に荷物を持ちホテルに向かって走り出した。するとホテルのフロントに立っていた白髪のおじいさんが雨の中を走って来て私の荷物を一つ持ち、いっしょに走ってくれた。

コスタリカの自然保護の歴史を語るロドリゴ・カラソ元大統領＝2002年、モンテ・ベルデ

チェックインしたが、100メートル離れた山小屋まで両手に荷物を持って歩かなければならない。傍らにいた白髪のおばあさんが私に傘をさしかけ、ずっと付き添ってくれた。

翌朝、雨が上がって清々しいので散歩した。ロッジの前を若い従業員が竹ぼうきで掃除している。彼と立ち話してわかったのは、前夜、私の荷物を持って雨の中、いっしょに走ってくれたおじいさんが元大統領で、傘をさしかけてくれたのが元大統領夫人だという。あぜんとしてロッジを見ると、あの白髪のおじいさんが早朝からフロントに立っている。

ロドリゴ・カラソ氏。コスタリカの第38代大統領である。1978年から82年までコスタリカを率いた人だ。国連に提案してコスタリカに国連平和大学を建設した人である。今はこのエコ・ロッジを経営しているという。

昨夜のお礼を述べたあと、「なぜ元大統領がホテルを経営しているのですか」と素朴な質問をした。彼は「大統領の任期を終えたあと、これからは一人の市民として社会の発展のために尽くそうと思った。当時のコスタリカはすでに平和国家への道も教育国家への道もできていた。足りないのは環境国家への道だと思った」と語る。

「地球環境を考えるのも大切だが、一人ひとりが自分と環境とのかかわりを認識することが必要だ。そのためにエコツアーを始めようと考え、それまでに貯めた財産でエコ・ロッジを建てた」と話す。権力のトップに上り詰めながら権威にこだわらずスパッと政治家を辞め、個人の資産を投げ打って社会のために一から尽くそうとする。感動するではないか。

※平和と空気を輸出する

ホテルの周辺は深い森に囲まれている。濃い霧がかかって、まるで雲の中にいるようだ。このため熱帯雲霧林と呼ばれる。熱帯の森といえば、かつて東南アジアの森がむやみに伐採され問題になったことがある。1990年ころだ。当時、私はフィリピンやボルネオの森に入って伐採現場を取材したことがある。それを思い出して「コスタリカには見事な森が広がっていますが、商業用に伐採しなかったのですか？」と質問した。

カラソ氏は「もちろん、切りました」という。熱帯雨林の木は1本あたり10万円で売れる。伐採して売れば手っ取り早い現金収入になるのだ。その結果、１９４０年代には国土の75％以上が手つかずの森林だったのが、80年代には26％にまで減った。「コスタリカでは30年後を見据えて政治をします。このままだと子や孫に木のない山を残すことになる。これではいけないと国会で話し合い、その年から木を切るのをやめて逆に植林に乗り出しました」と言う。

そしてニッコリ笑って言った。「それまでわが国は木材を輸出していました。その年からは空気を輸出するようになりました」と。植林した木が放つ酸素が風に乗って他国に流れる。この国は平和だけでなく空気も輸出しているのだ。平和も空気もコスタリカにとってカネにはならないが、他国の人を喜ばせる。人間でも国家でも、このような国は尊敬され大切に扱われるだろう。

カラソ氏は「自然を破壊するのは無知と欲です」と言う。人間から欲をなくすのは難しいが、無知は教育によってなくすことができる。環境を破壊することが結局は人間を暮らしにくくさせることを教育でわからせせば、自然破壊は減るだろう。元大統領はそれを自ら実践しているのだ。

その後、ホテル専属の環境レンジャーの案内で周囲の森をエコツアーした。若者が木の１本１本について詳しく説明し、葉にはりついた昆虫や地面をはうアリの生態まで語る。最後は植樹した。小さな苗木を土に埋めるのだ。立て札には私の名前が書かれた。20年くらいたって再び訪れたら、大きな木になっているだろう。死んだら灰の一部でもここに埋めてほしいと本気で思った。

カラソ氏は２００９年に亡くなった。植林の結果、今やコスタリカの森林面積は50％以上に回復した。彼が建てたエコ・ロッジは名を「クラウド・フォレスト・ロッジ」という。日本語に訳せば「雲霧林山荘」だ。経営は彼の死後も引き継がれている。

※自然エネルギー大国

「世界一美しい鳥」ケツァールを観に行く途中、山の尾根に風車がたくさん並んでいるのを見た。コスタリカは自然エネルギー大国だ。原子力発電所はゼロである。

２０１６年７月、この国は再生可能エネルギー１００％を達成した。うち75％が水力発電、13％が地熱発電、12％が風力発電だ。日本でおなじみの太陽光発電はわずか０・01％しかない。もちろん石油や石炭火力はゼロである。

１００％にまでは届かなくても、２０１５年以降は自然エネルギーが連続で98％を超えている。コスタリカ電力公社の発表では、２０２２年前半の再生可能エネルギーによる国内の電力供給率は98・58％だった。水力が70％、地熱が14％、風力が13％、バイオマスが１％だ。コスタリカは再生可能エネルギーで、ほぼ全ての国内消費電力をまかなっている。

水力発電はわかるが、２位が地熱発電と聞いて日本人はとまどうだろう。実は私自身がおおいにとまどった。初めてコスタリカの経済官庁を訪れて国のエネルギー政策を聞いた１９８４年、

「ＧＥＯＴＥＲＭＩＣＡ」と言う初めて聞くスペイン語を耳にして辞書を引き、それが地熱だと知った。しかし、地熱発電とは何か、知識がまったくなかった。当時の日本では地熱発電など知られていなかった。

その場で地熱発電の原理や仕組みの説明を受け、「コスタリカは電力ですごい技術を持っているのですね」と感想を述べた。そのとき役人は言った。「いやいや、開発途上国のコスタリカにそのような技術はありません。よその国から技術援助を受けました」。私は思わず「へえ、それはどこの国ですか？」と聞き返した。その返事を聞いたときの驚きを今でも覚えている。彼は笑って「あなたの国、日本ですよ」と言ったのだ。

それから10年近くたって北欧アイスランドを訪れたさいに世界最大の露天風呂を見た。ブルー・ラグーンという名で5千平方メートルもある。露天風呂の向こうにモウモウと煙を出す巨大な工場のようなものがあった。地熱発電所だ。地下からくみ上げた熱水から蒸気を分離し、蒸気の力でタービンを回して電気をつくる。使ったあとの熱水が地面に溜まり、露天風呂に利用しているのだ。地熱発電所を見学するとタービンは日本製だった。

地熱発電所をつくって温泉ができるのなら、温泉だらけの日本は地熱発電がいくらでもできるはずではないか。アイスランドでは日本の地熱発電の技術が生かされているし、コスタリカではずっと前から日本の技術が実用化されている。

日本に帰って、あらためて調べて驚いた。経済産業省の研究機関のホームページを開くと、日本で地熱発電をきちんと開発すると今すぐ2千万キロワットの電力がまかなえると書いてある。原発20基分の電力だ。政府は「日本に自然エネルギーは乏しく、原発でやっていくしかない」と言うが、末端の現場はそれがウソだと明言している。政府のエネルギー政策のまやかしを知った。それは福島の原発事故の1年前である。

※原発など必要ない

福島の原発事故が起きたのは2011年3月だった。その年の12月に当時のコスタリカのラウラ・チンチージャ大統領が来日した。コスタリカ初の女性大統領だ。日本記者クラブの会見場に登壇したのは、きりりと眉を上げた精悍な顔つきの女性である。内務公安大臣も経験した治安問題の専門家で、いかにも「悪を許さない」と言いたげな表情をしている。

日本訪問の目的はクリーン・エネルギー、つまり自然エネルギーでの協力を求めることだった。「コスタリカは電力の90%を水力発電と地熱発電を中心とした自然エネルギーでまかなっています。地熱発電の技術を輸出してくれたのは日本でした。環境分野での日本の技術はきわめて高い。地熱発電の推進で日本のさらなる技術導入に向け、日本の企業と新たな協定を結ぶことにしました」と述べたあと、「日本は公害を解決したモデル国であり、クリーン・エネルギーの分野でも世界のリーダーです」と称えた。いや、前半は正しくても後半は外交辞令にすぎない。

発言が終わると私は真っ先に質問した。「コスタリカは今でこそ開発途上国ですが、これから経済発展したときに原子力発電を使用する計画はありますか」。チンチージャ大統領はきっぱりと言った。「わが国の過去に原発の計画はなかったし、未来にもありません。自然エネルギーに投資しているので、そもそも原発など必要ありません」

もう一つ質問した。コスタリカはエコツアーなど盛んな環境国家だが、世界の環境問題にどう取り組むのか、と。彼女は「コスタリカは熱帯雨林の保全や植林を進め、一酸化炭素の削減で世界に先鞭(せんべん)をつけました」と誇った。自国の環境保護だけではない。開発途上国の対外債務を債権国が助ける債務・環境スワップの制度は、コスタリカが提案したものだ。

一方で彼女は、気候変動により熱帯地域が最も災害の被害を受けていることを指摘した。「私たちは最大の努力をしているにもかかわらず、マイナスの影響を被っています。先進国が約束を守らない限り、この問題で劇的な変化は起きません」と語った。

主張がはっきりしているし、その背景に実績の裏打ちがある。優柔不断で及び腰の日本の政治家と大違いだ。会見の直後、司会をした朝日新聞の重役は「この時期に原発の拒否って、ニュースだね」と興奮気味に私に言った。会場には新聞やテレビ各社の記者が30人ほど来ており、朝日新聞の若手記者もいた。私はすでに現場を離れていたので、彼が記事を書く。1面か、あるいは社会面に大きく載るだろうと楽しみにして翌朝、朝日新聞を見て驚いた。

1面にも社会面にもない。経済面に「経済協力を求めてコスタリカ大統領が来日」と小さく出ているだけだ。ほんの20行で原発のことは後ろの5行しかない。おいおい、これって何だ。今、大切なのは経済協力の話じゃなく、コスタリカの元首が国策として「原発NO」を明確に示したことじゃないか。なぜ、それを大きく伝えないのかと憤慨した。他紙を見ると毎日新聞もやはり経済協力を書いていたが原発にまったく触れていない。読売新聞にいたってはコスタリカの記事そのものがない。

彼らはすべて経済部の記者だった。世間が原発をどうするかで論争しているときに、所属する部の狭い視点からしか見ない。読者の感覚から完全にずれている。ジャーナリズムの役割を果たしていないではないか。

※世界初の気候変動目標

2050年までに化石燃料の使用をやめ温室効果ガスの排出をゼロにする、とコスタリカが発表したのは2019年だった。国レベルでのゼロ宣言は世界で初めてだ。今の世界には戦争や難民、差別や格差など多くの問題があるが、最も差し迫った問題は気候変動だろう。地球の温暖化で人間が住めなくなってしまえば、他のすべての問題は消し飛んでしまう。コスタリカは温暖化対策として世界の最先端を行くと宣言したのだ。

国連の気候変動に関する政府間パネル（IPCC）は、2050年までに温室効果ガスの排出量をゼロにすれば、産業革命前に比べ気温上昇を1・5度に抑えるチャンスが50％あると言う。気温上昇そのものを抑えることはできないし、可能性は50％にすぎない。それすらも困難な世界情勢の中で、コスタリカがいち早く名乗り出たのだ。

気候変動で国際的な枠組みを初めて定めたのは１９９７年の京都議定書だった。それに次ぐ重要な合意が、２０１５年の気候変動条約第21回締約国会議（ＣＯＰ21）で生まれたパリ協定だ。気温の上昇幅を産業革命期に比べて2度以上低く抑えることが気候変動対策のカギだとした。

このとき事務局長として各国の利害を調整しつつ説得し、パリ協定をまとめたクリスティアーナ・フィゲーレスさんは、コスタリカに平和憲法をもたらしたフィゲーレス大統領とカレン夫人の娘である。コスタリカは平和だけでなく地球環境の面でも世界をリードしている。

温室効果ガスを削減するのは簡単ではない。しかし、ここでもコスタリカらしいやり方を考えた。削減することで経済的に利益を出そうというのだ。発表した当時のカルロス・アルバラード大統領は、削減実施により向こう30年間に４１０億ドル（約5兆9千億円）の純利益が出ると計算を挙げた。地球環境を守りながらコスタリカ経済を豊かにしようという一石二鳥の案である。

すでにある熱帯雨林を拡大して二酸化炭素を吸収させ、森林を焼き払って牧場に変えるような自然破壊をやめる。自動車の燃料をガソリンから電気に切り替え、建物のエネルギー効率性を高めるなどの対策を示した。すでに自然エネルギー１００％近くを達成しているだけに、発言には説得力がある。

2 北欧並みの社会保障

※コロナとの闘い

２０２０年からのコロナ禍で、コスタリカ政府は矢継ぎ早に手を打った。ほぼ無策に終始した日本政府との違いを見ると、両国の差の背景に政治姿勢の違いが浮かび上がる。

コスタリカで初めて感染者が確認されたのは２０２０年３月６日で、米ニューヨークからの観光客だった。政府は早くも３日後、集会を避け、仕事を在宅勤務にするよう、国民に求めた。15日にはバーやディスコを閉鎖した。感染阻止と生活維持の両立のため、飲食店などの客を収容人数の50％未満に制限した。違反すれば30日の営業停止処分とした。

最初の感染確認から10日後、感染者41人、死者ゼロの段階で40歳の若きアルバラード大統領は国家非常事態を宣言した。コスタリカ国民と居住する外国人以外の入国を制限した。同時に、全ての学校を閉鎖した。

この間、アルバラード大統領はほぼ毎日、声明を出した。官僚の書いた紙を読み上げるのでなく、「団結すればコスタリカは今より強くなれる。がんばろう」などと自分の言葉で呼びかけた。最初の感染者が出たときから「医療、生活、経済」の三つの挑戦と位置づけ、生活と医療を国民に保証した。ＳＮＳでも発信し誠実な姿勢が信頼を得た。

陣頭指揮したダニエル・サラス保健相はうってつけの人材だ。日本の東北大学に留学して大学院で公衆衛生を学んだ医学博士で、しかも保健省生え抜きで保健行政にも通じていた。同じときに日本の厚労相が大蔵官僚の出身で何も有効な手を打たなかったのと対照的だ。

サラス保健相は昼夜を問わず記者会見を開き、質問がある限り何時間でも答えた。持っている情報を全て公開し、感染症とは何か、コロナはどのような病気でどんな症例があるのか、政府はどんな手を打っているのか、今のところ市民が自分でできる予防方法は何か、などを細かく知らせた。好感したコスタリカの市民が「サラス人形」を作って称えたほどだ。

最初の死者は非常事態宣言の2日後だ。すぐに公園を閉鎖した。2人目の死者が出ると、教会を閉鎖した。ミサで信者が集まるとそれだけ感染が広がると見たからだ。夜間の車の外出を禁止し、違反には罰金を課した。初日に２００台が違反すると罰金を5倍にした。一方で国立病院をコロナ治療用にし、国立リハビリテーションセンターをコロナ治療の専門病院に替えた。こうした矢継ぎ早の政策により感染が抑えられた。

収入が大きく減った人への補助金支給を決め、まず3万3千世帯に給付をした。仕事を失った人には一般労働者の平均月収の約半分にあたる12万5千コロン（約2万5千円）を、仕事が減ったが以前の50％以上ある人には、その半分を3か月にわたって支給した。

前年に決まっていた売上税のアップは凍結した。家賃が払えない人のために支払いを半年猶予するよう通達を出した。水道料金は徴収を中止した。収入が少ない家庭でも手を洗うための水を制限しなくてすむようにしたのだ。公園の閉鎖で公共水道が使えなくなったホームレスの人々のために、街角のあちこちに巨大な水のタンクを置いた。社会の弱者のためいち早く手を打ったところに、人間に優しいこの国の政治の在り方が見える。

店の半数が閉じたが、パニックや買い占めはなかった。小、中、高校は閉鎖後もスマホやPCでバーチャル授業をし、子どもに週一度、食料やノートを配給した。これらが入ったポリ袋を大量に学校の入口に置き、取りに来た生徒の親に渡したのだ。

当時、大国を自認する日本では、口や鼻を覆いきれない小さなマスクを国民に2枚ずつ配るだけだった。記者会見は短時間で打ち切り、後手の対策が目立った。

開発途上国のコスタリカと日本との違いは何か、コスタリカに16年滞在していた観光ガイドの原田信也さんに聞くと「政府と国民の距離の差」だと言う。「日本は政府に都合のいい政策を決める。国民の健康でなく経済の落ち込みを恐れている。コスタリカは国民が必要とすることを実行する。その違いでしょう。コスタリカの方が正しい民主主義に思えます」と語った。

その原田さんが言う。日本政府のコロナ対策がマスク2枚だけだったことはコスタリカにも知られている。「3・11の大震災のさいにあれほど沈着で団結した日本が、今なぜマスク2枚なのかと友人に問われ、答えるのに窮しています」と苦笑いした。

※現場を指揮した最前線の医師

コロナ禍が収束に向かった２０２３年３月、３年ぶりにコスタリカを訪れた。サラス保健相は西半球の健康問題を統括する米州機構の組織に移り、米国で仕事をしていた。コスタリカで会ったのは、医療部門でコロナ対策のトップとして現場指揮をとったマリオ・ルイス・クビージョ医師だ。

コスタリカの医療、社会保険制度は北欧の先進国にも比べられるほど充実している。保健省の監督のもとに政府から独立した社会保障公庫（ＣＣＳＳ）が医療、保健、年金の全般を取り仕切る。国立病院や地方の病院も、この組織のもとにある。保健省は全体的な保健政策を決めるが、実際に現場で実行するのはこの組織だ。５万５千人の医師、看護師、29の病院を抱える。クビージョ医師はコロナの当時、その医療統括責任者だった。

首都から北に10キロ、この国第２の都市エレディアにサン・ビセンテ・デ・パウル病院がある。１８９０年に創立されたコスタリカでも最大級の大規模な病院だ。クビージョ医師はコロナ対策が一段落した２０２１年、社会保障公庫からこの病院に戻った。今は外科医であり職員長をしている。相撲取りのように大きな体で開口一番、「私は外科手術が大好きなんです」と陽気に笑った。元は外科医なのだ。

「コロナ禍が発生したとき、だれも何もわからなかった。病気にどう対処したらいいのか、まったくわからない。わかっていたのは、あっという間に蔓延する呼吸器の疾患ということだけ。コスタリカは欧州と比べて発生が遅く、その分、対策を考える時間があったのは幸いだった」と言う。

発生当時、重症患者のための集中治療室はコスタリカ全体で24床しかなかった。防護服やマスクをそろえるなど、やることはたくさんあった。「国のレベルで緊急事態を宣言し、我々はあらかじめ病院を確保した。まず国立リハビリセンターをコロナ専用にした。これで88床のベッドが用意できた」。リハビリ専門の病院を短期間で改装し、人工呼吸器などを入れてコロナ患者専用の集中隔離施設にしたのだ。

「しかし、これだけでは足りない。もちろんコロナ以外の病気も診なければならない。このため全国各地の病院に分散して5千床を用意した。うちコロナ用が1500で800床は妊婦に、500床は子ども用、他は心臓病の患者などに充てた」と語る。

※中南米であげた最高の成果

それを聞いて「なぜ妊婦と子どもを特別に扱うのですか」と質問した。クビージョ医師は「それがコスタリカのコスタリカたるゆえんです。だれにも優しい社会であり、優しさこそ人間で最も大切なものです。子ども、そして子どもを育てる妊婦はとりわけ大切にされなければならないからです」と答えた。

それを聞いて、そうかコスタリカの平和、教育、人権、環境すべてに通じるのは人間的な優しさだと気が付いた。優しさというキーワードでコスタリカの在り方は納得できる。

コスタリカの医療陣は他国の例を見て感染の広がりを事前に予測し、医療態勢を整えた。コロナにかかったかどうかを調べる検査態勢も用意した。コロナ患者がふだん飲んでいる薬を取りに行けなくて困らないよう、薬を家に送るシステムもつくった。患者の立場に立って細かく対策を立てたのだ。

その結果、コロナの3年間で入院患者は計5万5千人だった。亡くなった患者は約9千人。コロナ用に実際に使われたベッドは1千床で、集中治療室は最終的に500床に増やした。感染者の死亡率は0・7%で、中南米では最も低い数字だ。ワクチンが登場すると、できるだけ多くの人に早く接種した。国民のワクチン接種率は中南米で最も高い。

こうしたことが組織だってできたのは、多忙の中でも情報の共有を怠らず対話を重ねたからだ。毎週金曜日の午前中は全国すべての病院の病院長を集めてオンラインで会合した。どこの病院で何が足りないかを把握し、すぐに対応をとった。

クビージョ医師が誇るのは、国の指示ではなくあくまで自立した社会組織として社会保障公庫が独自に活躍したことだ。もちろん国とも連携した。金曜日の午後は大統領や保健省側と話し合いを持った。街頭の人出を減らすために車のナンバーで「今日は偶数だけ走っていい」などのアイデアは、その話し合いから生まれた。収入が少ない家庭には3か月間、国が食料を支援する、銀行からカネを借りている人には返済で猶予期間を与えるなどのアイデアも出た。

※医療は無料

社会保障公庫を中心としたこの国の医療、保健制度はどのようなものだろうか。

社会保障公庫ができたのは1941年だ。「世界的に有名な英国のナショナル・ヘルス・サービス（NHS）よりも早かった」とクビージョ医師は誇る。必要なすべての人に医療を提供するのが目的だ。個人と会社、国が一定の割合で健康保険料を支払う。会社員は本人が給料の5・5%、雇用者が9・25%、国が0・25%を出す。収入が高いほど支払う額は多い。

保険料としては高いが、その分、病院の窓口での負担はまったく無い。薬代も無料だ。だから診療費の心配をせずに治療を受けられる。ちょっとした傷の手当から心臓手術まで無料なのだ。保険料を払えない失業者や低賃金労働者も、病院に行けば拒否されず無料で診察してもらえる。その治療費は国が負担する。18歳以下の子ども、そして妊婦はまったく無料だ。外国人でも緊急のときは無料で診てもらえる。実際、私の同行者が国会見学の際に転んで歯を傷つけたが、すぐに国会内の病院で無料で診てもらえた。

病院は三段階ある。地域には総合医療基礎チーム（EBAIS）という医療の基礎単位がある。医師一人、看護師一人、プライマリ・ヘルスケア（基礎的保健医療）の技師一人らから成る3〜4人で構成し、地域の約5千人を診療する。つまりファミリードクターだ。担当する地域の人々の健康状態を把握し生活指導をする。患者のために往診もする。コロナの予防接種はここで行った。総合医療基礎チームは全国で1千以上ある。

診療所で手に負えないような重病、重症患者は地域の大病院を紹介される。これが二段階目だ。もっと大変な患者は三段階目、国内に3か所ある総合病院で診てもらえる。医療はすべての人々に行きわたり、平均寿命や乳児死亡率は先進国並みの数字を示す。

とはいえ、もろ手を挙げて称賛できるほどではない。無料だけに患者が病院に殺到する。その分、患者は待たされる。大きな病院では医師たちの労働者意識が高く、1日あたり診断する患者の数が決められている。一人当たりの診察時間が長いためきちんと診てもらえるのはいいが、診察までにこぎつけるのに時間がかかってしようがない。

医師はすべて国家公務員であり身分が保証されているが、給料は比較的少ない。このため私立病院を別に経営する医師も多い。国営病院で診察のノルマを果たした後はさっさと帰宅して自分の病院で診察するのだ。時間待ちをしたくない人や裕福な人は最初から保険料が効かない高額な私立の病院に行く。こちらは腕の立つ医師が多く、水準の高い医療機器がそろっている。

そんな事情を差し引いても、病気になれば国民だれもが無料で診察してもらえるという仕組みが整備されていることはすばらしいことだ。金持ちには不満だろうが、貧しい層には歓迎される。だれ一人取りこぼさないこの国の精神がここにも表れている。

※社会保障で競い合う政党

ここまで社会保障が進んだ背景には、政治の力がある。この国では伝統的に二大政党があったが、どちらもリベラルで西欧の社会民主主義の要素が強く、国民に社会保障を進める点では共通していた。

平和憲法を制定するきっかけになった内戦の前、国民共和党のカルデロン大統領は大胆な社会福祉政策を打ち出した。１９４２年に憲法を改正し、社会保障や最低賃金、団体交渉の保障などを定めたのだ。その後のこの国の社会福祉制度の基礎を築いたのは彼である。その政策に共鳴した共産党と手を結び、カトリック教会の支持も取り付けた。

その彼が１９４８年の大統領選挙に立候補したが負けてしまった。敗北を認めずに勝利を主張したため、フィゲーレスが指導する国民解放軍が反乱を起こし内戦となったのだ。内戦でも負けたカルデロンは国外に追放され、フィゲーレスは国民解放党を組織した。

国民解放党は英国の労働党やフランスの社会党などと同じく社会主義インターナショナルに加盟する社会民主主義の政党だ。政権を執っているときはこれら欧州の政党にならってコスタリカでも国家公務員の数を増やした。このため公務員の数が3倍に膨れ上がった。

カルデロン元大統領はやがて追放先からコスタリカに帰国し、再び大統領選挙に立候補するが敗れる。しかし、大統領時代の彼の福祉政策が評価され、その後も国民には根強い人気がある。

カルデロンの息子がキリスト教社会連合党（ＰＵＳＣ）を組織して大統領選挙に勝利し、１９９０年に大統領に就任する。その次はフィゲーレスの息子が国民解放党の候補となって勝利し１９９４年に大統領に就任した。

　こうしてコスタリカに二大政党が生まれ、ほぼ交互に政権を執るようになった。国民解放党は公務員を支持基盤とするため、労働者の厚生や福祉対策を手厚くした。キリスト教社会連合党はカルデロンの影響が強く、自分たちこそ社会福祉の元祖という自負がある。このため選挙のたびに両党は社会福祉の政策に重点を置き、かなり整った福祉の現状をいっそう進める政策を選挙公約に掲げた。

街角で伝統楽器のマリンバを演奏して小銭を稼ぐ人々＝2019 年、サンホセ

　一方の政党が公約を実現させなければ、相手はそれを攻撃して次の選挙で政権を執る。こうしてコスタリカの社会福祉はますます充実して行った。ただ、開発途上国だけに財源の資金がない。このためにせっかく掲げた政策がしだいに絵に描いた餅になった。

　やがて二人の二世大統領は外国企業から献金を受けて有罪を宣告される。カルデロンは投獄され、フィゲーレスは国外に逃亡した。どこの国の政治家も親の七光りに頼る世襲政治家はろくな人ではないことを証明するできごとだ。

3 コーヒーが奏でた歴史

※資源がなくて幸いだった

なぜコスタリカのような特異な平和・教育・環境国家ができたのだろうか。ヨーロッパの一画ならわかるが、貧困と抑圧と戦乱で明け暮れた中南米の地に、ここだけポツンと平和で民主的で心豊かな国が生まれたのには何か理由がありそうだ。

それは、この国の歴史をひも解いてみるとわかる。最初の大きな理由は、この国に資源がなかったことだ。それゆえに人間が資源となった。

大航海時代、コロンブスが第4回目の航海でカリブ海のコスタリカ沖にやって来た。1502年のことだ。出会った先住民は金の装飾品を身に着けていた。しかし、実際にはコスタリカにはわずかな金しかなかった。またこの地域はうっそうとしたジャングルが広がって上陸が難しい。しかも住んでいた先住民はスペイン人に抵抗し武力で立ち向かった。征服者たちはコスタリカへの興味を失い、たくさんの金銀が採れるペルーやメキシコを目指した。

このためコスタリカにスペイン人が入ったのはかなり遅かった。メキシコにあった先住民のアステカ帝国を滅ぼしたスペインは、メキシコに副王、その南のグアテマラに総督を配置して中米を開発した。

中米で最も辺境の地、コスタリカにやって来たスペイン人の前に立ちはだかったのが火山と密林と先住民だ。他の中米の国ではスペイン人は大地主となって先住民を奴隷として働かせたが、コスタリカではもともと先住民が少なく40万人ほどだった。しかもスペイン人がもたらしたインフルエンザなどの病原菌のため、先住民の多くが死に絶え、入植者自身が働かなくてはならなかった。安易に儲けようと一攫千金（いっかくせんきん）を狙った人は他の国に去り、コツコツと働く人たちが残った。彼らは自力でジャングルを切り拓いた。つまり開拓者だ。協力しなければ生きていけない。日本で言えば明治時代の北海道の開拓者のようだ。なまじっか資源があるとそのうえにあぐらをかいてしまうが、コスタリカでは資源がないから人間が資源となって働いた。

しかも、メキシコはもちろんグアテマラの総督府からも遠い僻地だ。スペイン政府の役人はここまでやって来ない。だから何もかも自分たちで決めなければならない。このため勤勉、助け合いの精神、平等を尊び常に社会づくりを考える自立した国民性が育まれた。

※コーヒーがもたらした繁栄

日本が江戸時代の終わりごろの1821年9月、コスタリカはスペインから独立する。そのときのことを中学2年の教科書で、こう書いている。「独立はメキシコや南米の国々のように闘争や戦争によってではなく、グアテマラで下された決定によってもたらされました。独立の知ら

コーヒーの木が連なるコーヒー園＝2019年、コスタリカ北部

せが届いたとき、国民の代表を選ぶための選挙が公示されました。我が国における最初の民主的な選挙です。この年の10月29日、（当時の首都）カルタゴにおいて、国民の代表者である議会により、コスタリカの独立が宣言されました」

独立直後から議会制の民主主義を開始したのだ。とはいえ、すぐには国家としてやっていけず、周囲の国といっしょに中米連邦共和国の一つの州になった。

そこでコーヒーの生産を始めたのは、ほかに仕方がなかったからだ。中米の他の地域はスペイン本国で需要がある染料やタバコなどを栽培していた。同じものを作っても売れない。新しく入って来たコーヒーを栽培するしかなかった。コスタリカの政府は住民にコーヒーの苗と土地を与えて開墾と栽培を奨励した。土地が自分のものになるのだから人々は奥地まで開墾した。

コスタリカのコーヒー栽培で今でも特徴的なのは、大半が小規模農家であることだ。ブラジルやグアテマラなど中南米の伝統的なコーヒー園はほんの一握りの富裕層が独占する大農園がほとんどだ。コスタリカだけが例外である。もともと開拓民だから小さな農園しか持っていなかった。コーヒーの栽培でも、貧しい農民がお互いに助け合った。

しだいに国の体裁が整った1828年、政治家モーラ・フェルナンデスは議会で演説する。「コスタリカ州が平和による幸福と結束による強さをそなえ、子どもたちにとって日々刈り取る稲穂が多くなり、流す涙が少なくなるよう望む」。聞けば涙が出そうだ。草創期からコスタリカの政治は、子どもたちの幸せに主眼を置いていた。

でも、経済的には貧しいままだ。コーヒーは細々と出荷したが、なかなか大手の買い手がつかない。そこに幸運が訪れた。1843年のクリスマスの日、貿易品を探していた英国の船がコスタリカ太平洋岸のプンタレナス港に入った。これがきっかけでコスタリカから英国にコーヒーを大量に輸出する定期的な取引が始まる。しかもコーヒー豆は思いがけない高値で売れた。

にわかにコーヒー景気が降ってきた。英国からの投資で経済は飛躍的に発展した。このため当時、人口が8万人しかなかった貧しい小国が、たちまち中米で最も繁栄する国となった。天はコツコツと頑張る民に素敵なクリスマス・プレゼントを与えたのだ。

コスタリカが中米連邦から独立したのは1838年。1848年に正式に共和国として独立宣言をする。これが今につながる独立国家となった。最初の大統領は29歳の若さだ。国旗を考

コーヒーの実を乾燥させる作業＝2015年、プルーマス・デル・スルキ農園

えたのは大統領夫人である。他の中米諸国の国旗は青と白の組み合わせだが、夫人はフランスにあこがれていたので青、白に赤をくわえてフランス国旗と同じく三色旗にしたという。赤は自由の象徴だ。

ところがすぐに危機が来た。米国のウィリアム・ウォーカーという男が隣のニカラグアで実権を握り１８５６年、軍隊を率いてコスタリカに攻めてきたのだ。彼は中米地域を米国の領土にしようと考えた。

コスタリカの大統領は国民に団結と抵抗を呼びかけた。この「国民戦争」で活躍したのはファン・サンタマリアという貧農出身の若者だ。最大の激戦地で敵の本拠地に単身乗り込み、自分は撃たれて死にながら敵の拠点を焼きうちした。それがもとでコスタリカは勝利する。サンタマリアは今も英雄とされ、首都の空港に彼の名がつけられた。

※自由を掲げる独裁者

好景気の中で政治的に自由な考えが芽生えた。先に触れたコスタリカ最初の大統領は、就任前にすでに大学や新聞社を創立していた。彼が大統領として最初に行ったのは女子高校を創設することだった。「無関心、無教育、無知こそ悪の根源だ」と教育に力を入れ、出版の自由を進めた。報道の自由が社会を発展させるという信念からだ。

その後も使命感に燃えた政治家が続く。国民戦争の後に就任した大統領は軍人出身で独裁的だったが、自分から自由主義者だと名乗り近代的な改革をした。わずかに存在していた大土地所有の解体を進め、１８７１年につくった憲法でだれもが教育を受けられるよう小学校を無償の義務教育とした。１８７７年には死刑を廃止した。

続く大統領たちもカトリック教会が政治に口出ししないように政教分離を進めた。このためきわめて早い時期に中南米でひときわ識字率の高い教育国家、宗教の支配を受けない自由な国家になった。農園で働く労働者の質が高くなるにつれ、製品の質も高まった。

独裁者も自由主義者で改革を先導したところがいかにもコスタリカだ。こうして民度の高い国がつくられていった。教育費が無料で人権に気づかう社会は早くもここから出発している。一方で、人気を得た大統領が増長して懐を肥やし自由を抑えつけようとすれば、民衆が蜂起して政権を追放した。

裕福になると、パリのオペラ座をまねた国立劇場を首都に建てた。建設資金として市民がコーヒー税の導入を提案し、その資金や寄付により華麗な劇場が完成したのは１８９７年だ。白亜の宮殿風の建物の中に入ると、３２０の座席が並ぶ1階を取り囲むように2階から4階まで桟敷席があり、金色に塗られた壁や柱がシャンデリアに光る。舞台のそでには座席からは見えにくい特別席がある。夫を亡くした女性が世間の目に煩わされずこっそりと観劇するためだ。人間に優しい社会はこのころからすでにあった。

階段から見上げた天井には、コーヒー農園の巨大な壁画が描かれている。でも何かおかしい。

海岸にコーヒーの木が植えられ、着飾った女性が実を摘んでいる。コーヒー農園を見たことがないイタリアの画家が想像で描いたのだ。

※平等な社会が根づく

19世紀末にはコーヒーが輸出の90％を占めた。コーヒー豆を製品にする精製業者が小農の利益を脅かすと、小農たちはコスタリカ・コーヒー生産者連合を組織して対抗した。政府は両者を仲介しコスタリカ・コーヒー協会を設立して共存共栄を図った。これも中南米では特異なことだ。他の国では政府が大企業や資本家と結託して農民から搾り取ったし、大地主が貧しい農民を奴隷のように酷使したが、この国だけは違う。貧しくともみんな自立していた。このような経済態勢を目指した政府への信頼感が育ち、国民には平等感がしっかりと根づいた。

１８８２年からは独裁がなく、自由主義が続き民主的な選挙が行われた。ところが20世紀になって大統領選挙の不正をめぐり内戦が起きたのだ。内戦の詳しい流れは第3章に記そう。内戦が終わったあとにしっかり反省して軍隊をなくし、軍事費をそっくり教育費にしたことは、教育を重視してきたこのような歴史的な流れを知ると理解できる。

コスタリカを歴史的に形作ったコーヒーの現代を訪ねてみた。いかにもコスタリカらしいコーヒー園を訪れたのは２００２年だ。３５００の零細農家が集まって9つの組合を結成し、共同で製品を出荷していた。製品の名が「平和コーヒー」と「森林コーヒー」だ。この国の２大特徴がそのまま製品名になっている。ドイツやフランスに輸出し、利益を子どもたちのパソコン購入や奨学金、村の施設の建設にあてていた。

２０１５年に訪れたのは標高１９００メートルのスルキ山の中腹にあるブルーマス・デル・スルキ（スルキの霧）というコーヒー園だ。１８９０年の創業で今は4代目。２０１２年には国際品評会カップ・オブ・エクセレンス（ＣＯＥ）で1位を勝ち取った。私が訪れた年は2位だった。日本にも輸出している。

ビニールシートで囲まれたコンクリートの庭にコーヒー豆が広がっていた。水分が10％になるまで天日とコンクリートの熱で乾燥させるのだ。30分に一度は木の熊手でかき混ぜる。見ていると簡単そうだったが、熊手を借りて自分でやってみるとかなりの力仕事だ。労働者は隣国ニカラグアからの移民だ。コーヒー園で働いて収入を得るので自活できるし、この国の経済に貢献しているという自負もあるので居心地が良さそうだ。

コスタリカのコーヒーは、地道で真っ当な国民の生き方をそのまま反映した味がする。マイルドで優しい。ホッとしたいときや読書しながら飲むのに最適だ。

かつてはコーヒーを運んでいたコスタリカ独特の牛車カーレータ＝2020年、コスタリカ北部

※小さな蚊になって

2015年にコスタリカの駐日大使に着任した女性ラウラ・エスキベルさんは、さながら「コーヒー大使」と呼べる人だった。コスタリカのコーヒー安定供給機構の代表さらに中南米コーヒー輸出国機構の役員だったコーヒーの専門家だ。今や外交の専門家となった彼女に、コスタリカの過去と現在そして未来を聞いた。

まず、コスタリカ・コーヒーの特徴は何だろうか。「1988年、より品質の高いコーヒー生産を目指し、法律によってアラビカ種以外のコーヒーの生産が禁止されました。これは世界の生産国でもコスタリカだけです。上質のコーヒーはどの国も上質ですが、平均的なコーヒーとなると断然、コスタリカが上です。それは栽培する人の質が高いからです。生産する労働者の人権が守られ、賃金がきちんと支払われているからです。みなさんがさまざまなコーヒーの中でコスタリカのコーヒーを選んで買うことは、人権に連帯することを意味します。日ごろ何を買うかは、その物産の背後にある何を支援するか、につながってくるのです」

彼女はどうしてコーヒー産業にかかわったのだろうか。「大学は法学部で、コーヒー農家の立法を卒業論文のテーマに選びました。卒業論文の指導教授から提案されたのです。それが縁で弁護士になったさいにコーヒー生産者の弁護をするようになり、この世界にかかわるようになりました。コスタリカ・コーヒーへの愛です(笑)」。卒論の指導教授が国連平和大学を創設した功労者カラソ元大統領の息子だった。

コスタリカの原発と環境政策について質問した。「我が国が原発を利用するなど、まったくありえません。森の木は5年たたないと切ってはならないという法律があります。近く中南米で初めて人工衛星を打ち上げますが、その目的の一つは宇宙から森の木の生態を観察し、どんな種類の木を植えるのがいいかを知ることです」

平和政策について聞いてみよう。中国の軍拡を理由に日本も軍備を増強しようという動きの話題が出ると、すぐさま明解に語った。「コスタリカの隣のニカラグアにロシアが戦車を30輌送りました。そんなカネがあれば子どもの教育にまわすべきです。ニカラグア軍が数年前、コスタリカの国境を侵そうとして紛争になりましたが、私たちは国際司法裁判所に訴え、勝訴の判決を得ました。武器を持っていないことが最も強いのです。武器を持たないからこそ、国際世論は私たちを支持し、守ったのです」と話す。

コスタリカの平和憲法に対して外交官として、さらに一人の国民として、どんな思いでいるのだろうか。「平和憲法をつくったとき『武器をバイオリンに替えよう』と言いました。完全に軍隊をなくしたので、私は生まれてからずっと自分の国で兵士を見たことがありません」と話し、最後にこう言った。「小さな蚊が一匹いるだけでうるさくて夜、眠れないことがあります。コスタリカは小さな国です。小さいからといって価値がないわけではありません。私たちは小さな蚊になって世界に平和を広めたいと思います」

4 みんなコスタリカを目指す

※幸福度世界一

世界の中でどの国が一番幸せか。

それを図る指標はいくつかあるが、経済的な豊かさよりも国民の生活への満足度など人間らしく生きる指標として注目されるのが地球幸福度指数だ。英国のシンクタンク、ニューエコノミクス財団が3~4年ごとに発表する。地球環境との共存や国民自身の幸福感などから割り出して、その国が国民にどの程度の幸せを提供できるかをランク付けした。そこで2009年から2012、2016、2021年と世界一の座を続けているのがコスタリカだ。

思いがけず私も実感したことがある。2015年にエコツアーしたときのガイドは日本人の青年だった。日本で知り合ったコスタリカ女性と結婚して、今はコスタリカに住んでいる。彼は自分から「この国に住んで、幸せです」と言い出した。「家族の間で人権について話し合うほどの人権先進国だし、保険の仕組みが整っていて、病気になっても心配ない。障がい者があちこちで働く温かい社会だし。子どもの体調がよくないと職場で言えばすぐに早引けさせてくれる」と理由を挙げる。

そう語ったあと突然、彼はエコツアーのバスの運転手に「あなたは幸せですか」とたずねた。運転手は直ちに「もちろんだよ」と言ったあと、すぐさま「なぜって軍隊がないし、私たちは平和を愛しているからね」と付け加えた。これがきっかけで、ツアー中に出会ったコスタリカのさまざまな人に「あなたは幸せですか」という質問をぶつけた。例外なくだれもが即座に「ええ、幸せです」と答えた。

最高裁判所の広報官は「もちろん幸せです」と即答したあと、「なぜなら、人生の目的を達成しているから。もちろん社会にはなお問題があり収入も高くはないけれど、この国の人生はシンプルだ。いろんなサービスも受けられるし、好きなことをやれる」と話す。公教育省の女性職員グロリアさんは「ええ、私は幸せ。この国は貧しい中南米にあるのに早くから電気もついたし社会保障が完備している。高い社会保障費を払っているけれど、その制度を担うのがコスタリカ人のアイデンティティだと思う。優れた制度をみんなで保っているという一体感がある。毎日、安定した生活ができることを幸せと呼ぶなら、私はとても幸せです」と断言した。単に幸せな社会にいるというだけでなく、幸せな社会を自分たちで創り上げて保っているという意識が明確に感じられる。

その後も会う人ごとに同じ質問をした。街で出会った35歳の警察官に聞くと、「コスタリカ人は幸せに暮らしている。この国は人間が幸福に生活できる国です」と笑う。警官も人なつっこい。

※工業化がもたらす不平等

「あなたは幸せですか」とコスタリカで聞きまわった中に、政府に批判的な意見を持つ大学教授のチャコン氏がいた。彼も「私は幸せです。人の温かさに触れたとき、そう感じる」と語ったが、一方で今後について悲観的な見通しを話した。「ここ30年ほど、米国流の新自由主義の経済が広まって少数の人だけ利益を受けるようになった。機会の平等が損なわれたら、国民は幸せじゃないと感じるようになるだろう」と指摘する。

平等を目指すコスタリカに格差を助長する米国流の新自由主義の経済が広まったのは、産業の工業化と関係する。バナナとコーヒーの生産が主だったコスタリカの経済の中心は、農業から工業に変化した。そのきっかけが1997年、世界最大の半導体メーカー、米国のインテルがコスタリカに進出し、マイクロプロセッサー工場の操業を開始したことだった。

なぜ米国のコンピュータ会社がコスタリカに進出したかの理由に、コスタリカらしさが浮かぶ。インテル社は米国よりも労働者の賃金が安くすむ中南米に生産拠点を移そうとした。候補に挙がったのが経済水準が比較的高いメキシコ、コスタリカ、チリの三か国だ。

このうちコスタリカは教育水準が高く技術者、労働者の質が良い。経済も治安も抜群に安定している。何よりも精密機械に必要な豊かな水と清潔な環境がある。つまりコスタリカの平和で安定した社会と民度の高さ、整った自然環境が、国外の先端産業を呼び込んだのだ。

生産を開始した年、インテルの製品はいきなりコスタリカの輸出額のトップに躍り出た。翌年には輸出額の４割を占めた。貿易は20年ぶりに黒字となり経済成長率が跳ね上がった。当時のコスタリカのロドリゲス大統領は「コスタリカを中南米のハイテク産業の集積地にする」と息巻いた。

インテルの工場はやがて従業員３千人もの規模に膨れ上がった。ところが２０１４年、インテルは突然、製造部門を閉鎖し、半数の１５００人を解雇した。同じ年、インテルは新たな研究所をコスタリカに建てたが、雇用は２５０人だ。そして２０２２年には再び製造拠点をコスタリカに戻すと発表した。

このように米国の多国籍企業の受け入れは国内経済に空前の活況を呼び込むが、いきなり不況の奈落に突き落としもする。外資の導入は途上国の経済にジェットコースターのような混乱をもたらすのだ。

インテルに勤める人と地場企業の人との間に大きな収入の格差が生まれた。グローバリズムの時代だけに国境を超える経済の往来は普通だが、伝統的な社会にひずみをもたらす。社会は翻弄されるのだ。チャコン教授が予言するように、コスタリカの社会も長く今のままではいられないだろう。

※天国ではない

グローバリズムによって犯罪も国境を超えて入ってくる。中南米といえば麻薬を連想するだろう。麻薬の中でも米国で問題になっているコカインは、南米のボリビアやペルーの山の中で栽培される茶の一種、コカの葉が原料だ。コロンビアの工場で精製されてコカインという白い粉の麻薬になり、米国にもたらされて若者たちをむしばむ。

コスタリカは南米と米国の間にあり、麻薬の通過地点だ。麻薬を南米から米国に密輸するため、途中の国々で麻薬マフィアが暗躍する。コスタリカでも彼らによる犯罪が急増してきた。それも強盗など凶悪犯罪だ。

１９８０年代のコスタリカの警官は拳銃さえ持っていなかったが、今や自動小銃を持つ。強盗の被害に遭わないように入口を鉄条網で固める住宅もたくさん見られる。金持ちは首都の郊外に造られた要塞のような居住区に住む。周辺を高い壁で囲い、入口は銃を持つガードマンが警戒するものものしさだ。

もっとも、それは他の中南米の国々では以前から当たり前の光景だった。かつては日本のように平和で安全だったコスタリカがグローバリズムによって中南米の標準に近づいたのだ。今でも他の中南米諸国よりはるかにましだが、以前ほど安全とは言えない。決して天国ではないのだ。

海から麻薬を運ぶマフィアの船を取り締まろうと、米国の沿岸警備隊がメキシコからコロンビアにかけての海を日常的にパトロールしている。その船に飲み水や食料を供給するため艦船がコスタリカの港に立ち寄るのを許可してほしい、と米国が申し出た。

これをめぐって激しい議論が起きた。米国の治安機関を受け入れれば中立が犯されるのではないか、平和憲法国家なのに米国の武装組織を受け入れるべきではない、という反対論が出た。一方で、いや犯罪対策だし麻薬がコスタリカにはびこるのを防ぐことになる、なにも武器を供給するのではなく水や食料を求める人道的な活動だから許されるべきだという賛成論が展開した。

結局は人道主義の観点から水や食料を供給することになった。しかし、米国の艦船がいつでも無条件に入港したいという米国の求めを、コスタリカ政府は拒否した。入港に当たってはそのつどコスタリカ政府の承認を必要とするよう条件をつけたのだ。

この米国の艦船の入港が日本では「コスタリカに米軍が自由に出入りするようになった」と曲解して報道され、コスタリカが平和と中立を捨てたように言われた。そうではない。このように人道面と政治的な自立性で、うまくバランスをとっているのだ。

コスタリカを代表するジャーナリストで主要紙「ラ・ナシオン」の編集長をしたあと国連大使まで務めたエドゥアルド・ウリバリさんに現在のコスタリカ社会をどう見るか聞いた。「１９４０年代に社会保障を整備し軍隊を捨てたことが、今のコスタリカを形成した。しかし、近年は収入の不平等や治安の悪化、経済成長の鈍化、汚職が問題になっている。麻薬の運び屋が暗躍しギャング組織ができて暴力抗争事件を起こすようになった。伝統的に二大政党への支持が多かったが、今は支持政党がない人が65％を占める。ポピュリズム政党がのしてくる懸念がある。マスコミも新聞やテレビなど従来型は経済的な困難に直面し、コストを削減している。そのため質も落ちてきた。ＳＮＳが発達したが、正しい情報が得られない。とはいえコスタリカはアメリカ大陸で1、2位を争うほど表現の自由がある国だ。権力の受け売りをする広告のようなメディアもあるが、多くは権力から独立してきちんと政府批判をしている」と言う。

そして付け加えた。「私たちは憲法9条を持つ日本の平和主義を評価している。ただ、日本の政府は平和の問題にあまりに慎重すぎるように見える」。世界に平和を進めるうえで、日本がもっと積極的になってほしいと考えるのだ。

※我々は存在する

首都サンホセの中心部に風変わりな青銅の像が立つ。作業着を着た9人の農民男女の等身大の姿だ。「ロス・プレセンテスへの記念碑」、という名が付けられている。ロスは定冠詞、プレセンテスはスペイン語で「存在者」という意味だ。

近代化の中で消されようとしたコスタリカ中央渓谷の農民たちは、自分たちの存在が歴史の中で埋もれることを危惧した。沈黙のうちに強い抵抗の意志を示す彼らの姿を、目に見える形で残したのがこのモニュメントだ。男性の農民が頭にかぶっているのはコスタリカに伝統的なチョネテという帽子だ。頭をすっぽりと丸く包み、広いつばが日よけとなる。

記念碑が置かれた場所がユニークだ。日本で言えば日本銀行に当たる国立中央銀行の正面の広場に、銀行の入口をふさぐような形で置かれた。中央銀行といえば国家の金融の要であり、近代的な経済発展の象徴だ。その正面に素朴な農民たちの像は一見、ふさわしくないように見える。しかし、コスタリカの社会はそれにこだわった。彼ら農民こそ現在のコスタリカを建設した人たちであり、いつまでも忘れてはならないという意味が込められている。

毅然とした農民の姿を表すロス・プレセンテスの像。後ろの建物は国立中央銀行＝ 2023 年、サンホセ

　コスタリカの歴史の中で忘れられてきたのが先住民の人々だ。コスタリカは長く「白人国家」と呼ばれてきた。実際、中米の中では白人の割合が格段に多い。しかし、街を歩けば肌の浅黒い混血の人々もたくさんいる。国連核兵器禁止条約で活躍したホワイトさんのようにアフリカ系の人々が政界に進出することも増えてきた。

　２０１１年の国勢調査によると、コスタリカの総人口４９０万人のうち先住民は10万４千人で、国民の２・４％に当たる。８つの先住民族が住んでおり、それぞれの民族が集団で所有する独自の領土が24か所、認められている。とはいえ先住民のうちここに住んでいるのは４万８５００人で半分以下だ。

本来なら彼らの領土なのに、その38%つまり4割近くが、先住民でない人びとのものになっている。1977年に発布された先住民法によって各先住民コミュニティーの集団所有地が定められ、領土内でのある程度の自治権が認められているはずなのに、現実にはこの法律が守られていない。土地の所有権をめぐる紛争が起き、殺人事件にも発展した。

政府が先住民の問題を無視しているわけではない。先住民も黙ってはいない。先住民代表と政府との協議が続けられ2018年、合意が成立して「協議のためのメカニズム」の大統領令が出た。同じ年、先住民の土地に大規模なダムを建設する計画を政府は取り下げた。

先住民は肌の色や習慣の違いから社会の中で長く差別されてきた。しかし、彼ら自身が権利に目覚めて運動を起こし、学校で先住民の言葉が教えられるようになった。先住民の教育は国によって保証されている。それでも字が読めない先住民は10%もいる。さまざまな社会的指標で先住民は国の平均値より遅れている。国として取り組むべき問題だ。

その問題意識はきちんと把握され、活かされている。2015年、コスタリカ憲法第1条が修正された。「コスタリカは民主、自由、独立の共和国である」だったのを「コスタリカは民主、自由、独立、多民族、そして多文化の共和国である」と替えた。

2023年に国会を訪問したさい、与党議員の席の前には先住民居住区の場所を示すコスタリカの地図を描いたポスターが貼られていた。大きな文字で「先住民に耳を傾けよ」と書いてある。先住民の問題を放っておかず、議会の先決問題として審議すべきだという主張だ。議場の最前列、しかも議長席に一番近い席にあり、すべての議員に見える。

※たくましき女性たち

コロンブス以前の先住民の時代から続く長い歴史の中で、コスタリカの社会は揉まれた。自由、平等、協働、勤勉という価値観が保たれる一方、世界規模の時代の変化の中で変化を迫られたことも多い。

変わらぬ価値観の一つは、ラテン系の人々に共通した楽観性だ。生活は苦しくても何とかなるさ、という根拠のないユートピアのような気分がある。この国では企業の給料は毎月２週間目と４週間目の金曜日に2回に分けて出される。収入が入るとその分さっさと使ってしまうので、１回の支払いにするとすぐに金欠となる人が多いからだ。むろん貯金の習慣もあまりない。勤勉ではあるが、将来のために厳しさに耐えてまで働こうとは考えない。

大家族が多いのもラテン系に見られる特徴だ。９人兄弟や家族が20人いるという家庭も珍しくない。カトリックを信じる国民が多く、堕胎(だたい)を嫌う。以前は14歳で結婚し、すぐに子どもを産むことが普通だった。今やさすがに多産は減り、一家に子ども３人が普通だ。

家庭で強いのは女性だ。中南米では男性優位主義（マチスモ）が強いが、コスタリカに関する限り女性の力が強いように見える。歴史的に女性も男性とともに畑で働き、家事や育児までこなしてきた実績がものをいうようだ。女性の大統領も２０１０年に生まれたし、大臣など政府の高官にも女性が多い。保育園も多く、女性の社会進出を進める態勢が社会によって作られている。

シングルマザーがごく普通にいる。子どもの養育に困りそうだが、18歳になるまでの子どもの養育費は、夫にならなかった男性が支払う仕組みだ。選挙最高裁判所の役人と話したさい驚いたことがある。女性が子どもを産んだとき、夫がだれかわからない場合、女性が「この子の父親はこの人だ」と主張すれば、指名された男性は受け入れるしかないという。身に覚えがなければDNA鑑定に持ち込むが、多くの男性は黙って従うという。

元は男性優位の社会だったのを、女性が自分たちで権利を勝ち取って来た成果だ。2023年に国会を訪問したさい、先住民の問題を主張するポスターを貼った議員の隣の女性議員の席には「8M」と書かれたポスターが掲げられていた。3月（Marzo）8日は国際女性デーだ。女性の権利をことあるごとに主張した実績が社会を変えている。

※難民すべてを受け入れた

コスタリカで感心するのは、難民を大量に受け入れたことだ。いま、世界の多くの国が難民や移民を排除している。アメリカは中南米からの移民を制限し、ヨーロッパの国々も中東やアフリカの戦争、経済難民を追い返す。日本にいたってはスリランカのウィシュマさんのように外国人労働者を強制収容し、国の施設の中で命を失わせた。

こんな世の中でコスタリカはこの20年ほどの間に、50万人から100万人と言われる難民、移民を引き受けた。しかも数年滞在するとコスタリカの国籍まで与えた。現在の人口は約５２０万人だが、その5分の1近くが元難民や移民なのだ。不法滞在者も数多くいる。

しかもコスタリカが受け入れた人々の大半は、何度かコスタリカに侵略してきた隣のニカラグアからの経済、戦争難民だ。この本の冒頭で紹介した少年兵がいた国である。内戦が終わっても政情が不穏で経済的に立ち直れない。生きていけない人々が国境を越えてコスタリカに入ってくる。

街角でトマトを売るニカラグアからの移住者アラウニーリョさん＝ 2020 年、サンホセ

コスタリカの憲法は第31条で「コスタリカの領土は政治的な理由で迫害されたすべての人々に避難所を提供する」と規定する。政治亡命に限っているが、行き場のない人を受け入れる精神が経済的に困っている人々をも受け入れる素地になっている。

コスタリカの首都の街角で軽トラックの荷台にトマトを山積みにして売っている浅黒い顔の若者がいた。先住民との混血が多いニカラグア人は、顔つきがコスタリカ人とは明らかに違う。ニカラグア人は精悍でコスタリカ人はおっとりしている。国民性が表情に表れる。

若者はニカラグア人のアラウニーリョさん。10歳だった25年前、母親に連れられてコスタリカにやってきた。母親は帰国したが、彼は外国人の居住許可をとり、コスタリカで働いている。「今年中にコスタリカ国籍をとる。すでに昨年、審問を終えた」と話す。ニカラグアではまったく学校に通えなかった。コスタリカに来て初めて小学校に入り、卒業もした。「ニカラグアでは生きていけない。こちらの生活は快適だ」と言って笑う。

郊外の山地に広がるコーヒー農園で働くコーヒー摘みの労働者、首都の街頭を清掃する作業員や裕福な家庭で働くお手伝いの女性も、多くがニカラグアからの難民、移民だ。日本のように彼らを収容するのではなく、働き口を見つけて人間的な暮らしができるようにするのだ。

コスタリカの憲法には「外国人はコスタリカ人と同等の権利と義務を持つ」「コスタリカ人と外国人で給与や条件の差別をしてはならない」という条文がある。難民でもコスタリカ市民並みの給料が保証されている。彼らがコスタリカの産業や社会を支えてくれるため、コスタリカ人もありがたく思う。だからアメリカやヨーロッパのような難民、外国人への強い嫌悪感はない。言葉も同じスペイン語なので意思も通じやすい。

とはいえ、これまで戦争を続けてきたニカラグアと平和を長く続けたコスタリカとの間で文化や民度の違いは歴然としている。それに難民のニカラグア人みんなが仕事にありつけるわけではない。彼らの子どもたちはすべて義務教育でコスタリカの学校に入るが、親は貧しいままの家庭が多い。首都には難民が集まって住む貧困地区がある。難民の中には職にありつけず収入がないため犯罪に走る人もいる。それが犯罪の増加を加速させている。

２０２３年９月、コスタリカ政府は非常事態を宣言した。これまでの北からの難民と違い、南米から米国を目指すベネズエラなどの通過移民が数万人規模で一度に大量にコスタリカに入り、一部は暴動を起こしたのだ。政府は「コスタリカの親切に付け入る者には厳格に対応する」と、暴徒だけは本国に送還した。これまでとは違う対応を迫られている。

※米国人も日本人も移住

ヨーロッパでは犯罪の増加などから移民や難民を排除しようとする右翼的な政党が伸びている。コスタリカでも同じような動きがあってもおかしくないが、そんなことを唱える政党はない。街で市民に聞いても、「困ってる人々は助けなきゃ」という声ばかりだ。人権に基づいた教育の成果を見る思いがする。

面白いのは移住者の中に米国人がたくさんいることだ。コスタリカに住む外国人移民でニカラグアに次いで多いのは南米のコロンビア人、その次が米国人である。米国で定年退職した人々が、少ない年金で安く暮らせて医療費が無料のコスタリカを目指して移住して来る。彼らもいわば経済難民と言えるかもしれない。

日本人の移住者にも出会った。定年後、コスタリカにやって来て大きな果樹園付きの別荘のような家を買い、文字通り晴耕雨読の生活をしている男性だ。当時、１か月に日本円で６万円ほどの収入があるという証明書があれば、移住ビザがもらえた。６万円をコスタリカに支払うのではなく、年金など毎月6万円の収入があると証明できればいいのだから、日本の企業で定年まで勤めた人なら大丈夫だろう。物価が高く社会がギスギスした日本よりも、コスタリカで暮らす方が精神的にはいいに違いない。

書店をのぞくと移民のための手引きの本が売られていた。『定年後にコスタリカに住むための新しい黄金のドア』という題で300ページを超す英語の分厚い本だ。私が買ったのは2005年発行の14版で、初版こそコスタリカで発行されたが、2版以降は米国の出版社が出している。それだけ米国人が利用しているのだろう。ページをめくるとコスタリカの風土や生活の紹介、移住の条件や移住者の経験談などが載っている。巻頭の言葉を寄せているのは、かつてコスタリカを脅したレーガン元米大統領だ。「コスタリカは民主主義の原理を実践している自由な人々の誇り高き例だ」と書いている。本人の言葉とは思い難い。

観光客も移民も難民も犯罪者さえ、コスタリカを目指してやってくる。平和、教育、人権、環境大国であり、それをひっくるめて幸福度世界一と評価されるこの国の魅力を、多くの人が感じている。さまざま問題を抱えながらも数百年にわたって続けてきた伝統は簡単には消えないだろう。引退後の終の棲家の候補に加えてもいいかもしれない。

いや、それよりも日本をコスタリカのような国にすることこそ、私たちがやるべきことではないか。コスタリカを参考に「だれもが幸せだと思える国」を日本に実現したいものだ。

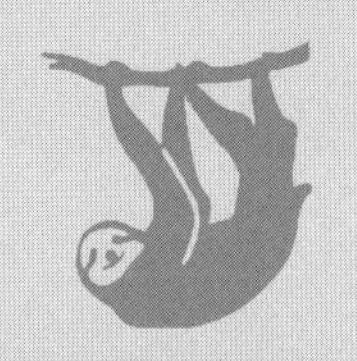

第 3 章

もっと深く知ろう、コスタリカ

非武装中立宣言した時の様子を語るモンヘ元大統領＝ 2002 年、サンホセ郊外

1 軍隊を廃止した背景

※武装蜂起

日本では戦後、軍隊が解体され平和憲法のもとに再出発したが、1950年には自衛隊の前身の警察予備隊が組織された。つまり旧日本軍が形を変えてすぐによみがえった。それ以来、憲法で戦力を禁止していながら軍隊を持っている。いったんできた軍隊を完全になくすのは難しい。どうしてコスタリカにはそれができたのだろうか。

歴史をひも解くと、けっしてきれいごとではない。まるで謀略、裏切りの連続のようなドロドロとした事実が浮かび上がる。きっかけは1948年の大統領選挙だ。

国民共和党から立候補したラファエル・カルデロンは、その4年前まで大統領を経験しコスタリカの社会保障政策の基盤を作って国民的な人気があった。当時のコスタリカは米国で起きた大恐慌の不況が続き、カトリック教会は進歩派が実権を握って社会改革を進めていた。同じように不況であえいだ労働者たちは共産党を支持した。支持基盤を強めようとするカルデロンの仲介で、犬猿の仲だったカトリックと共産党は歴史的な協定を結んだ。

一方、反カルデロン派の中心人物が農業事業家のホセ・フィゲーレスだ。政府の政策をラジオで批判して国外追放されメキシコに亡命した。帰国後は国民問題研究センターという知識人グループとともに新聞編集者のウラテを大統領候補に推した。選挙の結果、ウラテが勝ったが、カルデロンの支持派が多数を占める国会は結果を認めない。このためフィゲーレスは国民解放軍を組織して武装蜂起した。

フィゲーレスはメキシコに亡命中、カリブ軍団という武装組織と接触した。カリブ海域にあった独裁政権の打倒を目指す左派グループで、メンバーの国籍はさまざまだ。後にキューバ革命の指導者となるフィデル・カストロもその一人だ。１９３９年まで続いたスペイン内戦で敗北しメキシコに亡命した軍人たちが軍事訓練したため、戦闘能力は高く武器も優れていた。

交渉によってカリブ軍団はコスタリカの武装蜂起に参加することになった。戦闘に勝利してフィゲーレスがコスタリカの実権を握れば、コスタリカをカリブ海一帯の独裁政権を打倒する基地にする条件だ。このためニカラグア人を主とした７００人のカリブ軍団がフィゲーレスの蜂起に参加した。

※次々に約束破り

フィゲーレスの蜂起軍の主力は、あらかじめ彼の農場で武装訓練を受けた市民だ。そこにカリブ軍団という戦闘のプロが加わった。かたや政府軍は2千人もいなかったと言われる。戦闘は１９４８年3月から4月まで1か月と1週間続き、４千人以上と言われる死者が出た。勝ったのは

内戦当時の銃弾の痕が残る国立歴史博物館の壁＝2019年、サンホセ

蜂起軍だ。フィゲーレスは政府側の人々の生命と財産の保障、共産党の承認を約束して内戦は終結した。

ところが5月に臨時政府ができて実権を握ったフィゲーレスは、約束を次々に破った。カルデロン派の数千人を国外に追放し、7月には共産党を非合法化して弾圧した。コスタリカを独裁政権打倒の基地とするカリブ軍団との約束も反故（ほご）にした。選挙で勝ったはずのウラテに権力を渡すのは1年半後で、それまでは自ら政権を握って大規模な改革を進めた。

その代表的なものが軍隊の廃止である。さらに銀行を国有化し、コスタリカ電力協会を創設し、米国の多国籍企業に高い税金を課すなど社会主義的な政策を進めた。

こうした政策の立案を助けたのが国民問題研究センターだ。新憲法に男女平等を盛り込むことや中央権力を規制し自治体の権限を強くすることなど、ヨーロッパの社会民主主義的な思想に基づく制度を取り入れた。いわば戦後日本の改革を主導した連合国最高司令官総司令部（ＧＨＱ）の民政局のような役割を果たしたのだ。

フィゲーレスが権力を握るためにさまざまな約束をしておきながら、勝ったとたんにすべて反故にしたことにはあきれる。しかし、そのおかげで平和国家が生まれ、中南米の常識とは全く違う安定した社会ができた。どこまであらかじめ計算していたのか不明だが、実にしたたかな政治家だ。まるで戦国時代を知略で生き抜いた武将のような知恵とたくましい生命力を感じる。

＊平和憲法の誕生

フィゲーレスが軍隊の廃止を宣言したのは１９４８年12月1日で、この日は今も続く軍隊廃止記念日となっている。１９４９年11月に発効した新憲法に、軍隊の禁止が正式に盛り込まれた。憲法第12条にはこう書いてある。「常設の組織としての軍隊は禁止する。公の秩序の監視と維持のため必要な警察力は保有する。軍事力は大陸内の協定または国内防衛のためにのみ組織することができる。これらはいずれも常時、文民の権力に従属し、個別・集団の如何を問わず、審議・表明・宣言できない」

最初の部分で短く明確に「軍隊の禁止」を宣言している。何か不測の事態が起きれば警察力で対処する構えだ。しかし、すぐ次に再軍備の可能性に触れている。この時代、直ちに完全に軍隊をなくすと宣言するには、やはり危惧があったのだ。

「大陸内の協定」とは１９４８年3月に発効したばかりの米州相互援助条約を指す。ブラジルのリオデジャネイロで結ばれたため通称、リオ条約という。米国と中南米諸国との集団安全保障条約で、加盟国が攻撃されたら他の加盟国がその国を軍事で支援する内容だ。

この条約に加盟すれば、コスタリカが攻撃されても米国や中南米の国々から助けてもらえる。新生コスタリカはすぐに加入した。しかし、そのさいに条件を出した。コスタリカは軍隊を持たないので、他のどこかの国が攻められても軍事では支援できない。難民の支援や負傷者の救援など平和的な支援をする、という特例を認めさせた。「大陸内の協定」をうまく利用して軍備なしに生きのびる道を切り開いたのだ。実にしたたかである。

「国内防衛のため」の軍事力組織とは、この協定がうまく機能せずに侵略されそうになったときは、大統領が国民に呼びかけて義勇軍を組織できる、という意味だ。しかし、その後ろに長々と、軍隊が生まれたとしても文民統制に服さなければならないし、政治行動をとってはならないと、きわめて念入りにクギを刺している。

こうしてみると最初の「常設の組織としての軍隊は禁止する」が最も言いたいことで、そのあとは軍隊をなくすことに不安を抱く国民に安心感を与えるための言い訳のように思える。

※軍隊はクーデターのもと

それにしても、なぜ軍隊を廃止したのだろうか。当時の憲法起草委員会の資料を見ると、軍隊を禁止する提案についてこう説明している。

「我々は常設的な機関としての軍隊の禁止が正しいと考える。国内政治および国際政治の手段としての戦争の禁止と、国際紛争を司法によって解決することが、すべての兄弟国に承認されている。コスタリカには幸運にも軍事的伝統がまったくない。一方、ほとんどすべての兄弟国では軍国主義が、何ら利益をもたらすどころか深刻な被害をつくり出した。これを考えるとき軍隊を維持する何らの理由も見当たらないと考える」

これを解読すると、軍隊を無くした理由がはっきりと見えてくる。

前段にある「戦争の禁止」「司法による国際紛争の解決」とは、戦争を違法化した１９２８年のパリ不戦条約、国際紛争を平和的手段で解決することや武力の行使を禁じた１９４５年の国連憲章、そして１９４６年に始動した国際司法裁判所の存在を指す。兄弟国とは中南米の国々のことだ。周辺の国々が国連に加盟して紛争の平和的解決を支持すると言っており、国際的に対話による紛争解決の道がすでに整ったというのが第一の理由だ。

第二に「軍事的伝統がない」というのは、まさにコスタリカの歴史がそうだ。この国には徴兵制が一度もなかった。軍人が大統領になったことはあるし、19世紀にはクーデターがあった。しかし、他の中南米諸国のように軍隊が民主的な政権をクーデターで倒して軍事独裁政権を握ることはまれでしかなかった。たとえ独裁者が登場しても間もなく市民の力で政権から引きずり降ろした。

第三に「兄弟国で軍国主義がつくり出した被害」とは、他の中南米諸国で起きた血なまぐさいクーデターの歴史のことだ。つい最近まで中南米はクーデター大陸だった。軍隊が武力で政権を打倒して軍事独裁政権を打ち立てるのは日常茶飯事だった。新生コスタリカの政権が最も危惧したのはこれだろう。

軍隊を持てば、他国と戦う前に自国でクーデターを起こされる、という不安が絶えない。中南米の歴史を知る者ならだれでもそう思うだろう。そもそもコスタリカで自分たちが反乱を起こしただけに、将来の反乱の芽を自分たちで摘み取りたいと思ったことは想像に難くない。

とはいえ、このような文書よりも説得力があるのが、フィゲーレスの身近で過ごしたカレン夫人の言葉だ。「1940年代、飢えや失業が蔓延していた時代に、軍隊を持つことはまったく理にかなっていないと彼は考えたのです。この時代に武器にたくさんお金を使うことはできない。その代わりに教育をしたり医療を整えたり、一つひとつの問題を解決していくことの方がずっと大事だと思ったのです」

また、こうも語っている。「軍隊をなくした理由は、ほんとに単純なもので、もうこれ以上、一滴も市民の血が流されてはならない、と考えたからなのです」

要は、困窮の時代になけなしのカネを100%、国民生活の再建に注ごうとしたのだ。国の将来を考えると軍事よりも教育に投資した方がいいと考えた。終戦直後の日本に広がった平和を歓迎する国民感情を思えば、当時のコスタリカの人々が平和憲法を受け入れた気持ちは理解できる。

2 選挙最高裁判所は民主主義の砦

※第四権力

内戦後にできた憲法に、軍隊の廃止とともに盛り込まれた特徴が選挙最高裁判所の設置だ。選挙にかかわるすべてに責任を持ち、選挙のもとになる民主主義を国民に教育する、世界でも珍しい国の機関だ。内戦のきっかけが選挙をめぐる争いだったため、選挙の公正さを保障する仕組みとして考え出された。立法、行政、司法の三権力から独立し、「第四権力」と呼ばれる。

首都の中心部に「選挙の自由広場」がある。6本の柱が弓状に並び、羽ばたく鳥の彫刻が中央にそびえる。その向こうに建つビルが選挙最高裁判所だ。

選挙の際には全権を握る。投票の6か月前から警察権、つまり公安警察に対する指揮権も握る。酔っぱらって選挙が乱されないよう、投票日の2日前から投票の1日後まで酒類の販売は全国で禁止される。その命令を出すのも選挙最高裁判所だ。担当する3人の判事と3人の判事補は、最高裁の裁判官の投票により3分の2の多数決で選ばれる。任期は6年だ。

選挙をするにはだれが有権者なのか、きちんと決めなければならない。選挙最高裁判所の仕事は、選挙人台帳のもとになる市民の登録から始まる。日本では戸籍制度があって赤ん坊が産まれるとそのまま役所に登録される。コスタリカでは赤ん坊が生まれると病院から選挙最高裁判所に届けられ、一人ひとりの番号が与えられる。

12歳になるとそれをもとに本人が選挙最高裁判所の本部あるいは支部に行き、未成年者用の身分証明書を発行される。そのさいに指紋をとられる。中学校の入学手続きや映画館での未成年割引のときに利用される。いわば一種の国民総背番号制だ。指紋をとられるというと私たちには犯罪者扱いされるような不快感があるが、この国で１８８８年から続く市民登録所という制度を引き継いだのだという。18歳で成人すると、窓口で正式なＩＤカードを発行される。銀行に口座を開くときや社会保障を受ける時にこの番号が必要だ。

ＩＤカードを持っていれば誰でも投票できる。１９９８年には刑務所の中に投票所が設置されるようになった。日本では服役中の受刑者は選挙に参加できないが、コスタリカは囚人であっても国政に参加する権利はあると考えるのだ。

大統領選挙と国会議員選挙は４年ごとに行われるが、その２年後に市長や市議会議員選挙が行われる。いずれも投票日は２月の第１日曜だ。その前の年の10月１日に選挙人台帳を整理し、有権者が確定する。投票所は日本と同じく学校になることが多い。

大統領選挙には各政党が候補者を立てる。投票用紙はＡ４の紙１枚の大きさで、カラーで各政党の名と政党のマーク、候補者の顔写真、副大統領候補者２人の名が記してある。顔写真の下に空欄があり、ここに「×」印をつける。「○」ではなく「×」である。手元に２０１８年の選挙の投票用紙があるが、そこに載っている候補者は13人もいる。

もちろん最多の投票を得た人が当選する。もし有効投票の40％を超える候補者がいなければ、上位二人で2か月後の4月の第1日曜に決選投票となる。

投票率は1990年代までは平均して80％だった。しかし、次第に減り2018年まではかろうじて70％台を維持したものの、2022年には60％台に落ちた。政治への無関心層が増えてきたことが問題になり、選挙に行きたくなる環境作りが必要となった。

※デモの組織の仕方まで教育

そこで2009年、選挙最高裁判所の中に発足したのが民主主義形成研究所だ。幼稚園の子から小、中、高等学校の生徒から大人まで、個人から団体まで民主主義を教える。
1．世界の選挙や民主主義の調査書籍の出版
2．政党に民主主義形成を研修
3．市民への研修
4．民主主義を啓蒙する教材をつくり人々に参加することの大切さを教える
の四つを進めるのが仕事だ。

スタッフのマリエラ・カストロさんは「選ぶとは何か、選ぶ権利を持っているとはどういうことかを知ってもらいます。選挙は勝ち負けではありません。選挙で勝った方も負けた方も、すべ

ての人に居場所があることが民主主義であることを、ここで学びます」と話す。

小学生向けに作った教材として先に「民主主義を生きる」というカード型の教材を紹介したが、ほかにも大型のパンフレット七種類を作っている。どれも漫画やイラスト、図表がふんだんに入っていて、小学生にもわかりやすい。

入門編は「コスタリカの選挙過程」だ。赤い表紙にイラストが3つ、投票風景がマンガで描いてある。ページを開くと「政党や候補者を選ぶということは、その人たちに私たちを代表する責任をゆだねることです」と書いてある。続いて投票所だ。投票所に並ぶところから始まって、選挙管理委員会に書類を見せて投票用紙を受け取る場面、障がい者の場合は介助を依頼することもできることなど、すべてイラストで描かれている。投票用紙も載せてあり、投票の時の書き込み方、投票後はどのようにして数えられるかなど、わかりやすく説明する。

「民主主義と行動的な市民―効力と実践」と題したオレンジ色のパンフレットには、コスタリカの選挙制度の概要が書かれている。民主主義を支えるのは一人ひとりの市民の実践的な行動であり、選挙だけでなく社会のさまざまな活動に一人の市民として参加し、自分とは違う意見も受け入れお互いに話し合うことが必要だと説く。

黄色のパンフレット「民主主義における市民参加―場と仕組み」には、憲法で定められた市民の権利が侵されたときにどんな行動ができるか、が書いてある。憲法裁判所への訴えのほか、国民投票や住民投票の仕組みと参加の仕方などを説明する。社会に問題があると気づいたら市民運動を展開して社会をより良くするのが市民の役割だ。黙っていないで行動して社会に訴えるよう勧める。

そこには市民運動を組織する方法、仲間の集め方から学習会、プラカードを書くこと、街頭演説、デモをすることまで細かく示してある。国が作ったパンフレットに「デモの組織の仕方」が載っているのだ。

選挙最高裁判所が発行する民主主義のパンフレット

青色のパンフレットは「政党の設立と機能」で、三権分立の民主主義の政治の仕組み、行政と立法のそれぞれの役割を解説したうえで政党とは何か、何をしているのか、政党のつくり方、その資金源、選挙での共闘の仕組みなどを展開する。

最も分厚いパンフレットは青色の地に赤い線が入った「ジェンダーと参加―女性の政治」で80ページもある。同じ仕事でも女性は男性の80～84％の賃金しかもらえない。世界には、男の子は学校に行くのに女の子は行けない国がある。このように性による差別が現実にある、と説く。

その「差別から平等へ」の章は、コスタリカで女性の権利が認められてきた流れを記す。フェミニズムの組織が生まれどんな運動をしたか、国政や地方で女性議員がどれだけ進出しているかを数字で示す。それでも家庭内暴力など今なお家庭内で女性への暴力が絶えない現実を挙げ、真のジェンダー平等の社会を作るため一人ひとりが取り組もうと呼びかける。

ところどころに「あなたはどう考えるか?」「あなたはこの問題で具体的に何をするか?」などの問いがあり、書き入れる空欄がある。ただの教科書ではなく、実践の手引きなのだ。性の差別のない社会をつくるため国を挙げて本気で取り組もうとする姿勢が見える。

このパンフレットを使って学校や公民館などで市民に民主主義とは何か、具体的にどう参加すればいいのかを普及する。民主主義は放っておくと形骸化しがちだ。国を挙げて民主主義を活性化しようとする。

※民主主義の日

コスタリカでは11月7日を「民主主義の日」と定めている。「コスタリカ民主主義の日」と書いた青い表紙のパンフレットを開くと、28ページにわたって独立以来の民主主義の歴史が書いてある。1824年の中米連邦憲法で自由の基本が保障され、翌年にはコスタリカで自由な国家の基本となる憲法が採用された、など。とりわけ詳しいのが1889年11月7日の民衆蜂起だ。この国の民主主義の原点とされ、国の記念日となった。

その記述をたどってみよう。1889年の大統領選挙のさいに不正が行われた。野党の候補者の最高裁判所長官ホセ=ホアキン・ロドリゲスが勝ったのが明らかなのに、権力を握るソト大統領は認めなかった。反発した農民や職人たち７千人がナイフやこん棒を持って首都に集まり、選挙の公正さを守るよう迫った。地方の都市でも数千人規模の人々が同じように武装決起した。驚いた政府は軍や警察を動員し内戦の一歩手前に発展する。

11月７日、ソト大統領はついに折れて軍と警官を引き揚げ、ロドリゲス氏の勝利を認めた。コスタリカの歴史で野党が勝利した最初の大統領選挙だ。権力者が力づくで政権を維持することを市民が行動で阻止したことが評価され１９４２年、この日が「コスタリカ民主主義の日」と命名された。１９４９年の憲法が議会で承認されたのも、この日である。民衆の蜂起からちょうど１００年後の１９８９年11月７日、アリアス政権は１００周年を祝う行事を首都の民主主義広場で行った。

権力が民主主義を守らない場合、市民は街頭に出て示威行動をする。民主主義が冒されたと思えば、市民が具体的な行動によって自らの手で民主主義を守る。この日を強調することによって、政権の悪に目をつぶることなく身体を張って意思表示せよ、と国民にけしかけているようでもある。

実際、国会のすぐそばでデモや集会が行われているのをしばしば見る。市民が大声をあげプラカードを掲げて主張するが、日本のように警官がデモを囲い込んで規制することはない。そもそも警官が出動して来ない。デモは取り締まるものではなく、政府への反対行動をおおいに主張してこそ民主主義は保たれる、という考えだ。

英国の「エコノミスト」紙の調査部門、エコノミスト・インテリジェンス・ユニットが隔年で各国の民主主義指数を発表している。2022年は世界167か国のうち上位は北欧が占め、日本が16位、コスタリカは17位だ。いずれも「完全民主主義国」の中に入っている。ちなみに米国は30位で「欠陥民主主義国」だ。民主主義の牙城（がじょう）と呼ばれてきた米国だが、群衆が国会に突入し暴力をふるう事件が起きたことが反映している。

民主主義はできあいのものではない。市民の不断の努力で支えられる。それを忘れたとき、民主主義はなくなってしまう。米国のように暴力に走るのは論外だが、今の日本のように選挙に参加せず、不満を持っていてもあきらめてしまうのは、自ら民主主義を葬るようなものだろう。

3 国連平和大学の授業を受けた

※世界50か国の学生が学ぶ

世界が平和になるためにはどうしたらいいのかを専門に研究し、平和を広めるリーダーを養成する大学院大学がコスタリカにある。国連平和大学だ。

1978年、コスタリカの大統領に就任したばかりのロドリゴ・カラソ氏が国連総会の場で演説した。「平和は戦争行為の結果によってのみ訪れるものではなく、平和教育を通じて積極的に獲得していくべきものである」。武力によるのではなく、普段からの教育を通じて平和を構築しようというのだ。そう述べたあと「世界を平和にする方法を考える国連平和大学を設置してはどうか、建物も敷地もコスタリカが提供する」と提案して加盟国の賛同を得た。大学が創立されたのは１９８０年だ。

首都中心部から西に25キロ、車で40分ほど。山間の曲がりくねった道の先に３００ヘクタールもの広大な敷地が広がる。このうち２６０ヘクタールが森や林が広がる公園で、キャンパスは13ヘクタールだ。

１９８４年に初めて訪れたときは小屋のような小さな建物がいくつかあるだけだった。今は５棟の平屋建ての校舎が建つ。周囲の森から絶えず鳥の鳴き声が聞こえる。門のそばを体長70センチのイグアナが這う。

入口には「ロドリゴ・カラソ・キャンパス」と表示してある。この土地は実はカラソ氏が個人で寄付したものだ。カラソ氏を見込んで彼に寄付をした篤志家の土地を、彼はそっくり国連に差し出した。第2章の「環境の平和」の中で、任期を終えたあとすっぱりと政治家をやめ私財を投じてエコ・ロッジを始めた大統領を紹介したが、それがこのカラソ氏である。彼は環境だけでなく世界の平和のためにも個人的な財産を投げ出したのだ。

ロビーの壁に「人類に理解、寛容、共存の精神を促進する、平和への国際的な高等研究機関である」と設立の理念が書いてある。大学が目指すのはコスタリカの平和教育の方針と同じく三

国連平和大学の庭にはハンマーで要塞を壊す姿のモニュメントがある。下の文字は軍隊を禁止した憲法12条の条文＝2019年

つの平和、「自己との平和」「他者との平和」「自然環境との平和」だ。国連平和大学の創設に賛同、協力する条約を結んだ42カ国のリストが壁に貼ってある。残念ながらそこに日本の名は無い。

ロビーのホールを見下ろすように、たくさんの千羽鶴が天井から下がっていた。国際平和デーの日に大勢の生徒たちが折ったものだ。案内してくれた大学スタッフの水野真彩さんは２０１６年のこの大学の卒業生で、長崎市出身の被爆３世だ。

研究には三つのコースがある。国際的な権利、環境、平和と紛争だ。毎年、世界の50〜60カ国から１２０人ほどの学生がやってきて1年間学ぶ。男女別で言えば女性が約70％を占める。若者に限らず年齢は21歳から60歳までと幅広い。これまで世界１２０か国から留学してきた約２０００人の学生が卒業した。

教室の入口には、今行われている授業のタイトルが掲げてある。「国際機構における安全保障と軍縮」「平和のためのメディアの役割」「非暴力と市民運動」など、どれもいかめしい。窓ガラスの向こうにゆったりとした教室内が見える。教壇を囲むように机が並び、先生は机の上に腰かけて気楽な表情で講義している。どの教室も先生が1人で生徒は10人ほどの小人数だ。授業は英語で行われ、先生が講義したあと生徒が活発に話し合う。

教授は主に世界の国際機関で働いている人たちだ。イラクの大量虐殺について現地の裁判官が語り、オランダのハーグにある国際刑事裁判所のスタッフが国際司法の仕組みや問題点を話す。生徒たちの肌の色も様々で、見るからに世界各地から来ているとわかる。内戦が続く南米コロンビアから大学生のグループが来て、6週間の集中講義を受けていた。

※日本人の留学生

留学生の中には日本人もいる。しかも毎年、10~20人ほどが学びに来ており、日本人の割合はかなり多い。この大学に入った動機や授業の内容などを聞いた。

沖縄から来た杉本糸音(いちゆに)さんは平和教育を学んでいる。沖縄にミサイル基地が次々に建設されていることを危惧し、コスタリカは軍隊がなくても知恵を出して平和を保っていることに感心すると言う。留学を終えたら沖縄に帰り、未来に希望を持って自分たちにも平和への貢献ができることを沖縄の人々に知らせたいと話す。

広島出身の沖本直子さんも平和教育を学んだ。国際平和デーのイベントの際、大学ロビーに下がる千羽鶴のモニュメントの下で、千羽鶴の原点となった佐々木禎子(さだこ)さんの話を英語で紹介した。

私と同行した長崎の漫画家、西岡由香さんが長崎の被爆者を描いた自作の紙芝居を大学の図書館に寄贈すると、沖本さんはそれを英語で上演した。

沖本さんはすでにこの大学を卒業し、郷里の広島で「被爆体験伝承者」のボランティアをしている。２０２２年に「歴史・平和教育を通してフィリピンと広島をつなぐプロジェクト（フェザペップ）」というプロジェクトを立ち上げ、「マニラ市街戦」や「バターン死の行進」を記憶するオンラインイベントを開催するなど、フィリピンの戦争被害者について伝える活動も続けている。学んだことを社会で実践しているのだ。

２０２２年から23年までの1年間、この大学で学んだ宮城県仙台市の大学職員、遠藤茜さんが留学記を書いている。それを読むと授業の様子がわかる。そのまま紹介しよう。

授業は朝8時45分に始まる。スクールバスで山の中のキャンパスに着き、鳥のさえずりを聞きながら教室に向かう。先生がＺｏｏｍを、10人ほどのクラスメイトはノートパソコンを設定するところから始まる。「チコス、チカス、ブエノスディアス！（みんな、おはよう、のスペイン語）今日の調子はどう?」先生の元気な声が響く。Ｚｏｏｍで参加する学生への声かけも。前年から始まったパンデミックに応じたハイブリッド授業だ。

マスタープログラムは英語で行われ、３週間ごとにコースが完結する。毎日の授業にテーマを設け、講義が行われる。ある日は女性コーヒー農家をサポートする組織の創設者とのオンライン・ミーティングから始まった。彼が学生時代にコスタリカを訪れた時、コーヒー農家での女性労働者の実情を知ったことがきっかけでスタートしたプロジェクトだ。具体的な内容や現在の状況などを聞く。どんな困難があったか、これからの展望など質問が出され理解を深める。組織がどう社会的な責任を果たしているか、質問を交えて授業が進む。

先生の話がメインの講義では、リーディング素材や課題について意見を求められる。学生は自分の経験から意見を述べ、質問する双方向の授業だ。3時間の授業だが内容が詰まっていて、あっという間だ。午後は、自習やグループワークなどにあて、各コースの終盤にはグループプレゼンテーションが待ち構えている。

グループワークで商品を一つ選び、その持続可能性を調べるというとき、一人一つのアイデアを出し合った。コーヒー、タンポン、代替肉など取り上げるものが異なるし、持続可能性の解釈もさまざまだ。生産者の労働環境、食糧問題、人体への健康問題などいろんな視点が出る。

グループワークは、異なる国籍の学生がチームを組んで行う。打ち合わせから始まり、例題になった地域開発プロジェクトには教育的な要素が必要か、新しいビジネスをスタートさせることが必要か、など意見交換しながらまとめていく。意見を出し合いながらアイデアを発展させていく作業だ。

ロシアのウクライナ侵攻のニュース報道がされた翌日、「今日は授業の前に、ウクライナについて少し時間をとりたいと思います」と先生が口火を切った。インドやドイツ、アメリカ、フランス、日本などの学生たちがどんなことを考えているか、意見を出し合う。先生は肯定も否定もせず、大切なことだね、と言ったり、うんうん、とうなずいたり。10分ほどでひととおり発言が終わると「重要なことだから周りの人と話す場をつくって」と先生が締めくくった。対話して共有することが大切だと言われているように感じる。

数日後にはウズベキスタンの学生がウクライナの国旗をA4の用紙に印刷し、ほかの学生に呼びかけて国旗を一人ひとりの胸の前に掲げて写真を撮影するアクションを起こした。写真は大学のSNSに投稿され、大学のホールにはしばらくウクライナの国旗が飾られた。

※私が受けた授業

私も訪問するたびに授業を受けてみた。

2023年も1時間の講義を受けた。テーマは「移民、難民」だ。先生はコスタリカ人の若い女性のモニカ・パニアグアさん。彼女も最初に「途中で質問があれば何でもいいから質問してください」と前置きして語りだした。この大学ではそれが普通のようだ。

「移民と難民の違いは何でしょうか?」と問いかけ、世界の移民、難民の現状を映像で紹介する。中南米から米国に越境する不法移民、戦争を逃れようと国外に避難したウクライナの戦争難民、米国では生活できないからとコスタリカに移住した米国人の年金生活者などの例を挙げる。

各国で難民に対する規定が違う。米国やオーストラリアは夫から家庭内暴力を受けた女性を直ちに難民として認定する。一方、日本のように難民をほとんど認めない国もある。人は誰も世界のどこにでも移住できる権利が保障されているにもかかわらず、国によって受け入れる国とそうでない国がある。コスタリカは世界で4番目に難民申請を受け入れている国だと語る。

同行者の一人が、日本の入国管理局でスリランカのウイシュマさんが亡くなった事件を指摘し、日本政府があまりにも難民に冷たいことを訴えた。モニカさんも「残念ながら日本は他国の人々にやさしくありません」と語った。日本政府が人権に疎いことは世界に知られている。それに関連してモニカさんは、ウクライナ難民が世界で受け入れられやすいのにバングラデシュや中東の人々が拒絶されることに触れ、「肌の色によって差別されます」と現在の問題を指摘した。

国連平和大学で難民について講義するモニカ・パニアグアさん＝ 2023 年、コロン市

日本の大学のように教授が一方的に語るのを学生が黙って聴くような授業ではない。先生も質問を受けるのを前提に話を進める。教授の話を知識として覚えるのでなく、教授と生徒がいっしょに考えて問題の解決策を探そうという姿勢だ。退屈する暇がない。生徒自身が発言したくなる授業の進め方だ。

4 憲法を活用する憲法法廷

※国民が気軽に憲法を使う

コスタリカでは１９８９年、最高裁判所の中に憲法法廷が設けられた。憲法違反の疑いがあると思う国民は、地方裁判所などを通さずにいきなりここに持ち込んで憲法違反の訴えを起こすことができる。

以前はコスタリカでもよほどのことでない限り憲法違反とはみなされなかった。憲法裁判所の制度が取り入れられてから、それが変わった。市民が、身近なことで憲法に違反していると思えば、気軽に訴えるようになった。「それまでは憲法は単なるシンボルだとしか思われていなかったが、憲法裁判所ができてからは市民が使える憲法になった」と「国家の現況」のホルへ・バルガス所長は言う。

２０２０年と２０２３年に新しい憲法裁判所を訪れた。以前は最高裁の建物の中にあったが、違憲訴訟が年間２万件に膨らんだため、２０１７年に独立した建物となった。下町の一角にあり、全面が明るいガラス張りだ。裁判所というよりＩＴ企業のオフィスビルのように見える。入ってすぐ左は違憲訴訟の窓口で、訴えに来た市民に係が対応している。

４階の合議室に通された。憲法裁判所の判事７人が向き合う楕円（だえん）形のテーブルがある。判事が座る椅子に座って、判事補のネトラードさんから話を聞いた。

憲法裁判所は、来る者は誰も拒まない。ホームレスでも外国人でも直接、予約なしに訴えることができる。弁護士の付き添いもいらないし、訴状を用意する必要もない。国政の憲法違反から個人の人権侵害まで、憲法に違反していると思った市民が気軽に訴えに来る。

コスタリカの裁判所の仕組みを紹介しよう。簡易裁判所は裁判官が一人、日本の家庭裁判所に当たる下級裁判所は一人か二人、地方裁判所は３人、高等裁判所に当たる破棄院は５人の裁判官がいる。その上にあるのが最高裁判所だ。

こうした仕組みが整ったのは１９３７年で、司法の最高機関として最高裁判所が生まれた。その最高裁に第一法廷（民事）、第二法廷（労働、家庭）、第三法廷（刑事）、そして憲法を専門に扱う第四法廷が別名「憲法法廷」と呼ばれることは第1章で紹介した。

憲法裁判所が発行する「憲法法廷とは何か」という文書には「最高裁の特別の法廷であり、憲法や国際条約、国際協定、人権規約などで保障された基本的な権利や保証が擁護され効果的に行われていることに責任を持つ」と書いてある。「主な役割」は「憲法裁判所は憲法の原則を擁護、保障し、保護する責任を負う。憲法よりも重要な法律や条約などはない。憲法や国際人権法にある権利や基本的な自由を保障する」だ。

そして「何ができるか」は「憲法を保持し、人間の尊厳を擁護する個人の権利を侵害しようとする行為から我々自身を守る。憲法法廷はコスタリカ在住者が持つ個人の権利を回復する主要な機構である」と述べる。「コスタリカ在住者」と書かれているとおり、コスタリカにいる人ならコスタリカ人でなくても訴えることができる。

憲法裁判所の判事7人のうち女性が二人いる。大半は憲法学者だ。カスティジョ長官は国会の法律顧問、コスタリカやスペインの大学教授などを歴任し憲法の著書が多数ある。２００９年に長官に選出され、８年の任期が延長され２０２５年まで担当する。

判事になれる条件は「コスタリカ生まれ、またはコスタリカ人の血を引くコスタリカ人であり、10年以上コスタリカに在住する35歳以上の市民で、聖職者ではなく、法学士の資格を持ち、少なくも10年の法律業務の実績を持つ法律家、または少なくも5年の経験のある法律部門の官僚であること」だ。政教分離の方針が徹底している。判事は国会によって任命され、任期は8年で再選が可能だ。

判事のほかにネトラードさんのような判事補が25人おり、全体の職員は約２００人ほど。そのほぼすべてが弁護士資格を持つ法律の専門家だ。

※訴えた最年少は4歳

憲法裁判所が扱うのは六つ。第一番目に人身保護（ハベアス・コルプス）。人間の自由と保全を保障するもので、公的機関の行為や怠慢によって拘束されたり、不法に逮捕されたり、外部との連絡を絶たれた状態で拘束され、移動の自由を妨げられたなどだ。二番目に庇護（ひご）申請（アンパロ）がある。基本的な自由の保障。健康、教育、労働、商業活動の自由に関する申し立てなどで、実はこの申し立てが一番多い。２０２２年にはこれだけで3万件近くになった。中でも病院で待ち時間が長いとか手術を受けるのに何年も待たされるという不満が多い。

刑務所に入れられた囚人が手書きの訴えを送ってきたこともある。囚人にも人権が認められ、刑務所の中でも憲法法廷に提訴したいと言えば、刑務所は書かれた訴状を憲法裁判所に送らなければならない。子どもの性同一障害の訴えもあった。体は男子だが心は女子という私立学校の子が、「学校側は男子の名前を強制するが、私は自分を表す名を使いたい」と訴えて認められた。

第三番目が狭義の憲法違反だ。国の政策が憲法に違反しているという、日本で言われる違憲訴訟がこれに当たる。２０２０年に同性婚をめぐる訴えがあった。結婚するときに判事の前で宣誓するが、そのさいに判事が憲法で同性婚は認められないと言った。それに不服だったカップルが違憲訴訟を起こし、同性婚が認められた。

第四番目は立法府の諮問に応えるもので、国会で審議する法律が合憲か違憲かのアドバイスをする。条約を決めるときは必ず憲法裁判所があらかじめ違憲かどうか審査する。第五番目は裁判所からの照会で、下級裁判所の要請を受けて判決前に憲法判断を示す。第六番目は憲法争議で、政府機関や議会、最高裁などの憲法、法の紛争について判断する。

国民が訴えるにはどうしたらいいのだろうか。憲法裁判所の通常業務は月曜から金曜の7時

新築されたガラス張りの憲法裁判所＝2019年、サンホセ

半から12時と午後1時から4時半まで。その他の時間と土日、祝日は担当裁判官、管理職員が対応する。ＦＡＸやメールでも受け付ける。「なぜ24時間かというと、それは基本的人権だからです。個人の自由を保つことこそ人権です。他の国では軍によって市民が連行され、行方不明になるケースがありました。そのような訴えに対しては即時に対応することが必要です。迅速な回答で一般市民の人権を守るのです」とネトラードさんは語る。弁護士資格を持った係官が待機し、迅速に判断する。侵害したと思われる機関には報告命令を出す。だれがどう訴えるかは憲法裁判所法38条に書いてあった。

1．子どもでも大人でも、コスタリカ人でも外国人でも、自分自身でも他人のためでもいい。2．言葉は何語でもいい。3．法律家の署名は不要。4．紙は何でもいいし、手書きでもタイプやコンピューターでもいいし、電報でもＦＡＸでもいい。電報の場合は無料。記載する内容は①名前、②個人番号と身分証明になるもの、③不法行為を起こした相手や組織の名前、④問題をできるだけわかりやすく、⑤侵されたと思われる法律、⑥もしあるなら訴えの証拠、⑦憲法の何に抵触するかの指摘は不要、⑧住所と連絡先、⑨自分の署名、だ。

インターネットの発達で今やオンラインで訴えることもできるようになった。裁判所から遠い地域に住む人にとってはその方が便利だ。ただし、メールでは受け付けていないと言う。安全が保障されていないと判断されるからだ。これまで訴えた最年少は４歳だと言う。訴えから平均２か月で判決が出る。

※図書館に飾ってあるようなものだった

なぜ憲法裁判所がつくられたのか。『憲法とコスタリカの民主主義』（原題「Constitución y Democracia Costarricense」Gerardo Trejos/Hubert May,2009）の第４章２項「憲法法廷の創設」にこう書いてある。

「憲法を活性化する必要があるという議論が起きた。市民の基本的な権利を保障し保護するため憲法のシステムをもっと効果的に、もっと敏速な対応を。このため庇護申請と身体保護を管轄する二つの法廷を創設しようかという案が出た。そのとき憲法法廷には庇護申請が１２９５件、保護が50件、係争中のままだった。判決に４、５年かかることもあった。最も大切なのは正義を迅速かつ完全に実行することだと考えた。また、憲法判断を一つの機関に絞るべきだという考えが以前からあった。こうして政府のすべての権力から、裁判所の権力からも独立した新たな憲法裁判所があればいい、という判断に立った」

この内容を担当官がさらに説明する。１９８９年以前は憲法に統一性がなかった。人身保護は

1932年の法律、庇護は1950年の法律、民事訴訟法の違憲性は1936年の法律と、それぞれ別に審理されていた。憲法に関わることなのに一般法廷で裁かれていた。

1980年に議会の特別委員会が違憲審査について憲法改正案を提示したのを最高裁が審議し、不備を指摘した。1983年に最高裁判事の提案に基づいて議会特別委員会が憲法法廷を創設するよう提言した。「違憲性をめぐる紛争を解決する独立した法廷を設けて迅速かつ完全な解決を図るべきだ」という内容だ。裁判所は当時、手いっぱいだったので特別の法廷が必要だと考えた。

ネトラードさんは「それまで議会が憲法について判断していたが機能しなかったので、裁判所が管轄することになりました。以前はいろんな裁判所で扱われ、ほとんど違憲判決は出ず、憲法は図書館に飾ってあるようなものでした。1980年代になってシステムを変えるべきだという声が上がり、憲法は自分たちのものだから使わなければならないと市民の関心も高まりました」と言う。

申請は最初の年に365件だった。2022年は3万958件に膨れ上がった。うち庇護申請が2万7431件、人身保護が3169件、狭義の違憲審査は315件だ。

憲法裁判所のシステムは1951年にドイツで生まれた。民主的なワイマール憲法の下でもナチズムが生まれたことを反省し、憲法の番人が必要だと考えたのだ。同じようにイタリアも憲法裁判所を作り法治国家の再建を図った。韓国では軍事独裁からの民主化が決まった1987年に憲法裁判所を設けた。2017年に朴槿恵大統領の罷免を決定したのも憲法裁判所だ。

コスタリカの憲法裁判所はこれらの国よりも遅く発足した。しかし、ドイツやスペインでは憲法裁判所に行きつく前に家庭裁判所や高等裁判所を経なければならない。文字通り訴えとして最後の手段だ。コスタリカはそのような過程を飛ばして最初から憲法裁判所に訴えることができる。そこが違う。世界で最も市民に身近な憲法機関と言えよう。

5　国立歴史博物館の展示から

※我々を導く星

首都サンホセにある国立歴史博物館は、要塞のような造りをしている。実際、かつては国軍の司令部だった。平和憲法がつくられたのを機に「兵舎を博物館にしよう」というスローガンのもと、博物館に変わった。

外壁には１９４８年の内戦の銃弾の痕が残り、建物それ自体が歴史建造物だ。内部にはコスタリカの先史時代から現代までの歴史を示す展示が並ぶ。一巡りすればこの国が今に至った経緯を理解できる仕組みだ。見学してみよう。

まずは外からだ。入口の前に銅像が立つ。内戦を収め平和憲法を作った功労者ホセ・フィゲーレスの像だ。後ろに彼の言葉が彫ってある。「星に手が届かないのは誰もが知っている。しかし、誰もが知るべきは、岐路に立ってどれが前進する道であり、どれがそうではないかを識別するため、どの星が導いてくれるかを知ることだ。我々を導く星の名は、最大多数の福祉でなくてはならない」

そばにはバイオリンを手にすっくと立つ少女の像がある。文化の象徴だ。軍隊を廃止した時、「武器をバイオリンに替えよう」というスローガンがあった。その向こうには地面に座って本を読む少年の像。こちらは「銃を捨てて本を持とう」のスローガンを表す。いずれも武器をなくして、その分の予算で教育や文化を充実させようとした精神の表現だ。

入口を入ると吹き抜けの庭に出る。コスタリカに特徴的な植物が植えられ、モルフォ蝶が飛びかう。スロープを上がっていくと、かつての要塞の壁の内側の通路に出る。壁の一画が壊され、文字が刻まれた緑色のプレートがはめ込んである。

「武器は勝利をもたらすが、法律のみが自由をもたらすことができる」というフィゲーレスの言葉の下に「この壁で1948年12月1日、フィゲーレスはベジャビスタ司令部の城壁に一撃を与えた。その象徴的な行為により、コスタリカにおける軍隊の廃止を確定した。この行動が軍事支配に対する文明の勝利を確実なものとした」という文字が続く。

軍隊を廃止するセレモニーとして、フィゲーレスはこの壁にハンマーを打ち込んで壁を壊し、もはや兵舎は必要ないことを見せつけたのだ。それを記念する碑である。

通路を上がると博物館の中庭だ。直径1メートルもある球状の石が中央に置いてある。コスタリカの南、パナマとの国境地帯の土から掘り出されたもので、先史時代の遺跡だという。だれが何のために、どのようにして作ったのか、何もわかっていない。しかし、コスタリカの土着文化の象徴とされ、国会の中庭にも同じものが置いてある。

博物館は平屋建てで、植民地時代の様式の建物だ。中に入ってみよう。

国立歴史博物館の前に立つフィゲーレス元大統領らの像＝2023年、サンホセ

※先住民とスペイン人の争い

展示の最初は先史時代だ。アメリカ大陸の地図があり、ユーラシア大陸から地続きだったベーリング海峡をわたって人類がやってきた足跡を示す。アラスカには紀元前3万年、メキシコには紀元前1万1千年、そしてコスタリカの地には紀元前1万年に到達した。コスタリカの先住民は、もとはといえばシベリアからやってきた人々である。

次のコーナーには石の彫刻が並ぶ。メタテという、トウモロコシなどの食物をすりつぶす道具だ。火山岩を削って作り、3本の脚は人間や鳥の形をしている。後ろ

館内に展示された謎の先史時代の遺跡、球状の石＝2019年、サンホセの歴史博物館

手に縛られた人間を鳥が口ばしに咥(くわ)える、おどろおどろしいデザインもある。捕虜がいけにえにされた様子を表すという。その向こうに、あの球状の石があった。最大のものは直径2・66メートルにもなる。天然のもののように見えるが、人間が手を加えて作ったものだという。

別室に入ると、ようやく私たちが知っている時代だ。スペインの征服者がやって来た。当時の先住民が身に着けていた首輪など金細工が飾ってある。スペイン人たちは体を覆う鉄の甲冑(かっちゅう)で身を固め銃を持っていた。先住民はほとんど裸同然で武器は槍や弓矢などでしかない。戦えばスペイン人が勝つのは当然だった。

伝統的な踊りの展示がある。「小悪魔の踊り」で、悪魔と牛の対決がテーマだ。悪魔が生まれ、牛が悪魔を蹴散らす。悪魔は山に逃げる。ほら貝の音を合図に悪魔がよみがえり、里に帰って来て牛を殺す。最後はみんなで牛の死を祝う。こんなストーリーに沿って3日間、トウモロコシの酒を飲み、酔いながら踊る。

牛はスペイン人を、悪魔は先住民を表す。スペイン人がやってきて先住民を悪魔のように扱い、ほとんど皆殺しにしたが、最後は力を盛り返した先住民がスペイン人に勝つ、という内容だ。侵略者に征服された先住民の願いがそのまま物語になっている。

「仔馬(こうま)の踊り」は、仔馬と少女が向き合って太鼓と笛の音で踊る。先住民の兄弟が酔ってけんかしたところに少女が現れて仲裁する。馬が兄弟を噛んだり蹴ったりして争いをやめさせる内容だ。先住民の集団の争いと和解を象徴したものと言われる。

展示は近代に入る。「海賊との戦い」はアメリカ人ウォーカーが兵を率いて侵略した１８５６年の戦いだ。銃を手に立つ兵士の像は、一人で敵の陣地に火をつけて戦いを勝利に導いた若い兵士フアン・サンタマリアだ。この戦闘では多くが死亡したが、戦いの直後にコレラが流行って人口の10％が亡くなったという。

※自由主義と近代化

次のコーナーのタイトルは「コーヒーの国」だ。「コーヒー文化とともに農業資本主義がコスタリカの生活に入った。コーヒーの輸出が１８２０年に開始し、近代国家へ歩んだ」と書いている。「資本主義とは何か」という説明もある。

コーヒーが繁栄をもたらしたことを象徴するのは「黄金の豆」という表示だ。19世紀には輸出の90％をコーヒーが占めた。「コーヒー貴族」と呼ばれる富裕層が生まれたが、権力を握るまでの力はなかった。結局、コーヒー生産者は中小の農園が大半を占めた。20世紀に入るとコーヒーに替わってバナナが農産物の1位になった。

次は「自由主義と近代化」。19世紀の末までに「秩序、発展、近代化」を旗印とし、自由主義による改革が進んだ。大西洋岸に鉄道を建設し、バナナ農園が発達した。近代化を進めるため政府は教育や家庭から教会の影響を追い払った。こうして教育と文化の時代がやってきた。一方で都市と農村の格差が問題にある。「自由主義とは何か」の解説に「個人の自由と社会・経済生活への国家の介入を最小限にすること」とある。

「移民と多様性」のコーナーでは、19世紀末に鉄道建設とバナナ農園のためカリブ海一帯や中国、中東から外国人労働者がやってきた歴史を見せる。最大の移民グループは鉄道建設に来たジャマイカ人で2万人を数えた。彼らは鉄道の工事が終わるとカカオ農園の労働者になった。

「教会と国家の闘い」のコーナーは、国が中央集権を進めるため教育と市民生活からカトリック教会の影響を排除した過程だ。婚姻や離婚で女性の法的な独立を認め、教会が行っていた市民の登録を国が行い、出生や死亡も国が管理するようにした。

基礎教育を強化し、教師を育て、移住者を近代市民にするため1885年、公教育法ができた。翌1886年には一般教育法も生まれ、初等教育は無償とすることが盛り込まれた。印刷文化が広まり、新聞や本などが普及した。

20世紀に入ると、女性の地位が高まる。「母や妻以上の存在に」というコーナーでは女性が給与労働の世界に進出した過程が描かれる。とりわけ学校の教師に女性が多くなり、教員組合から女性の権利を主張する動きが生まれた。1923年には婦人参政権を求めるフェミニスト同盟が誕生し、まず教育界の男女の賃金の不平等をなくした。１９３２年には「コスタリカの母の日」が制定された。しかし、女性が参政権を持つのは１９４９年の現憲法まで待たなければならなかった。

１９４０年代に入ると紛争と改革の時代になる。１９４０年にコスタリカ大学が開校する。カルデロン大統領の下で社会保障が進み、１９４３年には労働法ができて労働者の権利が守られるようになった。

※今日の問題を指摘

そこに起きたのが内戦だ。大統領選挙の結果をめぐって武力対立が起きた。戦後に１９４９年憲法が生まれた。軍隊の禁止、女性やアフリカ系住民の参政権、選挙最高裁判所の設置が盛り込まれた。兵舎の壁をハンマーでたたき壊すフィゲーレスの大きな写真が貼られ、ハンマーの彫刻が飾ってある。

その先にあるのは「中米の暴力と平和」のコーナーだ。１９８７年にアリアス大統領が受賞したノーベル平和賞の賞状が飾ってある。「中米地域の政治制度はより強固になったが、平和の前には貧困や排除が問題となって立ちふさがっている」と書いている。

ここからは現代のコーナーだ。「20世紀の半ばにコスタリカは軍隊を廃止し社会発展を遂げ、アメリカ大陸で最も安定した国となった」と書いたあと、「しかし、１９９０年代から汚職によって政治家への信頼が薄らぎ、選挙への無関心が増えた」と民主主義の劣化を問題にする。

「２０１４年にはアメリカ大陸で4位の豊かな国となったが、２０１３年に失業率が中南米で最高となるなど21世紀に入って格差が増大する中南米三か国の一つに入った」。経済格差の増大が今日の大きな問題なのだ。

「性の多様性」のコーナーには「多くのコスタリカ人が性やジェンダー問題で差別を受けてきた」と書いてある。２０２０年5月に同性婚が認められた男性カップルの写真があり、「コスタリカは人権を尊重する国であることを自負してきたが法制化の面では遅れた」と自己批判する。

さらに今日の社会が抱える問題に触れた。「『社会的平和』に進み、軍隊の廃止だけでなく、暴力なく生きる権利がある社会となったが、最近では麻薬密輸組織が入り、家にはカギをかけなくてはならず、防護用の壁を設け警備員が必要なほど治安が悪くなった」。

博物館といえばきれいごとを並べ立てることが世の常だが、負の側面をきちんと指摘するところはなかなかのものだ。私が見学しているときも、授業でやってきた子どもたちが展示の言葉をノートにせっせと書き写していた。

終章

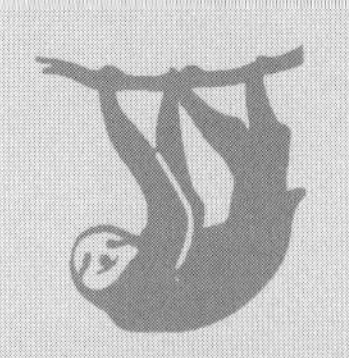

日本への教訓

甘い砂糖水の匂いをかぎつけて飛んできたハチドリ＝2020年、コスタリカ北部

※日本をこんな国にしよう

世界に平和を広めるコスタリカの姿勢がしだいに知られ、コスタリカを紹介する映画が日本で上映されると、ネット上でコスタリカをけなす投稿がしばしば見られるようになった。こんなに妬(ねた)まれるほどの成果をあげている、あるいはこんなに誤解されるほど日本からは理解されがたい社会なのだと苦笑する。

コスタリカのすばらしさを体験するには、実際にこの国に行ってみるのが一番だ。だが、ただ行くだけでは開発途上国の街並みを見るだけで、経済的な貧しさしか目に写らない。学校や憲法裁判所、博物館、国会、国連平和大学、エコツアーなど、この国の特徴的な部分を見たうえで、コスタリカの人と話して初めてどんな社会か理解し納得するだろう。

もちろんコスタリカは天国ではない。カネがないので道路のでこぼこも簡単には直せない。車いすが通れるようなバリアフリーの世界からはほど遠い。学校の校舎もみすぼらしい。グローバリズムと民営化の嵐に襲われ、経済格差は増している。

それでもなお、人々が親切で優しい社会が生きている。難民を受け入れ、問題があればすべて話し合いで解決する姿勢だ。グローバリズムの波を受けても、平和と人権に基づく社会の土台がしっかりしていれば、完全に飲み込まれはしない。

小国なので世界に大きな影響力は持てない。しかし、小さな途上国でも平和という理想を掲げ、世界に平和を広げようという強い意志を持っていることに感動しないだろうか。コスタリカがやっていることを日本が世界の舞台でやれば、もっと大きな影響力を与え、世界を変える力になるだろう。

コスタリカでは、自分が愛されていないと思ったら違憲訴訟によって相手を変えることができる。それが親であろうと先生であろうと、大統領や国家であっても、だ。日本では、愛されていないのは自分が悪いからだと思って引きこもり、ウツになる。なぜ日本で1年間に3万人もが自殺するのか。コスタリカだったら自殺を考える前に自分を愛してくれない社会や制度を相手取って憲法違反に訴えるだろう。日本の場合、そうした救済の制度がないから、人は自己責任だと自分を責めてしまう。

社会が子どもにどう対するか、日本とコスタリカでは大きな違いがある。日本では子どもは「子ども扱い」され、管理の対象だ。コスタリカでは子どもを「人間扱い」する。自立した一個の人間性としてとらえる。日本で子どもの権利条約が批准されたのはとても遅かったし、いまだに子どもの権利が守られて

街中の女性警官＝2002年、サンホセ

いない。それは社会の中で一人の確立した人間として見ていないからではないか。自立した人間に育てようとする姿勢ではない。

コスタリカで日本との違いを感じることは他にも多い。みんなの力で社会を良くしていく精神だ。民主主義を小さいころから徹底して教えていると、こんな社会ができあがるという見本がコスタリカにある。

日本の場合、おかしなこと、不都合なことがあっても見て見ないふりをするか、あきらめてしまう。それでは社会はいつまでたっても変わらない。コスタリカにはみんなが共同で社会をいい方向へ変えて行こうという精神を感じる。

※攻められたらどうする

日本で平和憲法が議論されるとき常に言われてきたのが、「攻められたらどうする?」とか「軍隊なくして平和を保てるのか」という問題だ。その答えはコスタリカの存在がすでに示している。攻められたら国際司法裁判所に訴えればいい。そうすることによって現にコスタリカは平和を保ってきた。

ここで強調しておきたいのは、コスタリカは軍隊を持たないが、丸腰ではないことだ。先にも説明したように、国家が抱える武装組織の三段階のうち、コスタリカには軍隊はないが、国境警備隊と警察を持っている。侵略されたら、政府が国際的な対話の場で解決を探る間、現場では国境警備隊が対処する。それができるほどの防衛的な武器は持っている。文字通り専守防衛だ。

日本で言えば、国境侵犯に対して軍隊に当たる自衛隊が立ち向かえば、戦争に発展してしまう。国境が侵されたのなら国境を守るのが役割である海上保安庁が対処すればいいのだし、現にそうしている。

日本の海上保安庁の装備は相当なものだ。日本を11の管区に分け、しっかり目を光らせている。近海の治安だけでなく太平洋の東経165度線以西の海難救助を受け持つから守備範囲は相当に広い。以前は日本船の護衛のため遠く中東にまで航行していた。

海上保安庁が生まれたのは海上自衛隊より早く1948年だ。だが、より遅く発足した自衛隊が23万人規模なのに比べて、海上保安庁は1万4千人規模でしかない。これでは日本の防衛にとって、いかにも心もとない。自衛隊を徐々に減らし海上保安庁の規模を上げるべきだ。そうすることで憲法にも沿い、国民の安心感も生まれるのではないか。

「攻められたら」と言うが、いま日本が攻められてはいないし、攻められる理由もない。ロシアのウクライナ侵攻について講演したさい、「銀河の彼方から異星人が攻めてきたときに備えて日本も核武装すべきではないか」と真顔で質問する人がいた。パニックに陥ると人は信じられない妄想をするものだ。勝手に脅えて妄想する前に「攻められないような」仕組みをきちんと創り上げるべきだ。

たとえば東アジア非核地帯だ。すでに世界では核兵器を使わない、持ち込ませないなどを定めた非核地帯に加入している国が116か国もある。国連加盟国の半分以上だ。東南アジアにも中央アジアにもある。そういう時代だ。ならば日本、台湾を含む中国、朝鮮半島、極東ロシアに非核地帯を創設すれば、少なくも核の恐怖から免れることはできる。

ヨーロッパから学ぶこともできる。欧州は今や欧州連合（ＥＵ）という一つの国のような存在になった。一つの政府が存在し、国境をはさんだ行き来は自由だ。そのきっかけをつくったのは第二次大戦後、フランスのシューマン外相の提案だ。過去に犬猿の仲だったフランスとドイツが仲直りすることが欧州から戦争をなくす第一歩だと考え、戦争に必要な鉄と石炭を共同管理する欧州石炭鉄鋼共同体をつくった。それが経済全体の共同体となりやがて政治の共同体に発展したのだ。そこまでに40年かかった。

言い換えれば、40年かければ地域の平和は実現するのだ。アジア連合を創ればいいではないか。少なくとも、その努力をすることが平和を創る道ではないか。あれこれ不安がる前に積極的に平和への手段を尽くすべきだろう。コスタリカはそれをやってきた。

※米国従属からの脱却

日本は何かと米国の言うなりになる。米国の大統領から防衛費を上げろと言われれば素直に従うし、日本国内の米軍基地には治外法権を与えている。基地の中で何が起きようと日本の警察権は及ばない。ドイツやイタリアにも米軍基地があるが、両国では警察も自治体も基地への立ち入りは自由だ。自国の領土だから当然である。日本がおかしいのだ。

今の日本はいわば米国の植民地状態にある。戦争に負けたからしかたがないというが、もう70年以上も前の話だ。同じように米国に負けたドイツもイタリアも米国と対等の関係を築いている。日本は「思いやり予算」まで出して自ら米国に従属している。主権を持つ国がすることではない。

コスタリカは日本よりはるかに小さな国なのに、米国の言いなりにはならなかった。モンヘ大統領の時代に中立宣言を出したのは、米国の干渉を退けるためである。米国と一対一で対処すればかなわないので中立を宣言し、世界を味方につけた。これは小国の知恵である。相手が超大国といえども、その思い通りにはならないという強い自立の信念が必要だ。ともすれば米国の圧力に屈し、いや、米国が何か言う前に自分から頭を下げる卑屈な行為をとってきた日本政府は、コスタリカの知恵を見習うべきだろう。知恵を使い、世界の世論を味方につければ、超大国に堂々と引けを取らずに立ち向かうことができる。

※日本の裁判システムを変えよう

小学生でも違憲訴訟に訴えるコスタリカを見て、日本の裁判所とのあまりの違いにため息をつかないだろうか。明らかに国民の立場に立ったコスタリカの憲法裁判所のシステムの対極にあるのが、権力に向いて国民に門を閉ざす日本の最高裁判所だ。２０１９年に埼玉弁護士会が主催して「これでいいのか最高裁!?」というシンポジウムが開かれ、元裁判官や憲法学者そして私もパネリストとして発言した。

衆議院憲法調査会参考人でもある大学教授が日本の最高裁判所の裁判官の構成を説明した。15人のうち6人が裁判官、3人が弁護士、2人が検事、2人が官僚、2人が大学教授の出身という枠がある。1947年に現在の憲法で最高裁判所が発足してから最高裁判所の判事は180人を数える。うち教授出身は14人だが、その中で憲法学者はたった一人しかいなかった。その人も1989年に退官し以後、憲法学者はゼロである。現在の教授出身の2人の裁判官は刑法と行政法が専門だ。憲法違反を審議するのに180人の中で憲法学者がたった一人だけと聞いて、おかしいと思わないだろうか。

元裁判官の大学院教授は「最高裁判事になる裁判官は、出世のシステムを全部くぐっていく人。最高裁事務総局の経験が非常に長い人以外はほとんどいない」と話し、「先進国の中でほかにあまり例がない。相撲の番付のように組織の下からだんだん上がり出世するシステム」と指摘した。また、官僚の出身者は「現政権や自民党と関係の深い人。常に上を向いている人で、絶対に最高裁にマークされるようなことはしない人」だという。これを受けて司会の弁護士が、上ばかりを見ている「ひらめ裁判官」という呼び名があることを紹介し、「弁護士の出身者3人のうち2人は、大企業の顧問弁護士など大手の法律事務所の出身者がなっている」と解説した。

一方、ドイツの憲法裁判所について大学教授は「判事は議会が選出し、大統領が任命する。半数は憲法や行政法の学者で、出世のすごろくで上がるようなことはない」と話す。日本では内閣が任命するだけだが、他の国は議会が選ぶか議会の承認が必要だ。

こうしてみると、日本の最高裁が憲法問題で門前払いするなど国民の訴えに向き合おうとしない理由が見えてくる。最高裁の裁判官は現在の政権の「身内」から生まれた人がほとんどだ。憲法の専門家がほとんどいないのでは、憲法に照らして基本から考える発想は持ちにくいだろう。今の政治制度を維持することを前提に判断しがちだ。

日本をどうすればいいのかについて「最高裁の三つの小法廷に少なくとも一人ずつ憲法学者がいるようにすべきだ」「日本にも憲法裁判所を作らなければならないのかもしれない。今の最高裁を変えて憲法判断を積極的にするには、まず裁判官の人選や機構の問題から考えなければいけない」という指摘が出た。

シンポジウムのチラシに各国の最高裁判所の建物の写真が載った。コスタリカのほかは、いずれもいかめしい。道路からすぐに玄関があるのはコスタリカだけだ。他はいずれも玄関にたどり着くまでが長い。中でも日本は灰色の要塞のような建物で、うっそうとした木立の向こうに傲然と立つ。この写真を撮った弁護士が木立に2歩、足を踏み入れただけで3人の警備員が飛んできて怒られたという。最高裁の建物の造りを見ただけで国民に身近な存在か、かけ離れているか、がうかがえる。

日本も戦前、ドイツに似た軍事独裁の下で国民が苦しみ、その果てに戦争で多くの命を失った。その反省に立って強調された立憲主義が危機に立たされている昨今だ。少なくとも最高裁判所の人事については従来の慣行を改めるべきではないだろうか。

※社会変革の方程式

世界経済フォーラムが２０２３年6月に発表したジェンダーギャップ指数、つまり男女平等度の日本の順位はなんと１２５位だった。先進国ではダントツの最下位。政治と経済の分野で要職に女性が少なく、男女の収入格差が大きい。もはや先進国と呼ぶのが恥ずかしい状況だ。

憲法24条で両性の平等が認められたのが１９４７年。それから70年以上もたつのに平等どころか格差の広がりの方が目立つ。憲法が生きているどころか、まったく存在しないかのようだ。

コスタリカもほぼ同じ時期に新憲法をつくって男女平等を入れたが、世界で14位だ。しかも国会議員のほぼ半数は女性だし、女性大統領もすでに誕生した。政府機関の重要ポストの50％は女性となるようにしている。日本とは何が違うのだろうか。

コスタリカは憲法で男女平等という理想を掲げたあと、社会がそうなるように法律を整備した。議員選挙のさい候補者名簿のうち同性が60％を超えてはならない、という決まりだ。これによって候補者の4割以上が女性となった。しかもなるべく男女均等になるように、名簿の順位を男女で交互になるようにした。

コスタリカで感心するのは、議員だけでなく社会も男女平等が進んだことだ。公務員はもちろん一般の企業や団体にも女性の役員がしだいに登場し、今ではトップが女性という組織がごく普通にある。私が訪問した政府機関やＮＧＯの多くは代表者が女性だった。女性の社会進出が実際に可能になるよう、政府は社会環境を整備した。たとえば早くから保育所をたくさん作り、女性が子どもを預けて働きに行きやすくした。

こうしたやり方こそ社会を変える方程式のようなものではないか。まず憲法で理想を掲げ、社会が理想に近づくように法律を作り、法律も一度作って終わりにするのでなく理想に一歩でも迫るよう改正を重ね、法律で決めたことが現実に可能となるよう社会の仕組みを整える。男女平等だけでなく、あらゆることで言えそうだ。

日本人は憲法という理想を簡単に捨ててはいないか。理想は夢の世界で、しょせんかなわないものだとあきらめてはいないだろうか。目先の現実に目を奪われて理想を捨てるような人間は他人から信用されないだろう。国だって同じだ。理想を掲げて着実に進む国は美しい。そうでない国は、自ら破滅に向かうだろう。

※九条の会

私は２０００年３月、朝日新聞の紙面で「コスタリカの〝平和輸出〟」という、当時としては珍しい署名入りの大きなコラムを書いた。軍隊を本当になくしたこの国にならって、日本も平和憲法を活用しようと呼び掛ける記事だ。

「平和憲法を活用して積極的に海外の紛争や貧困をなくすことに尽くせば、私たちは日本人として、人間として世界に誇れるのではないか。憲法の活用、いわば『活憲（かっけん）』こそ私たちが取り組むべきことなのではないか」と書いた。それまで言われてきた護憲でも改憲でもなく、「活憲」と言う言葉を、このとき初めて提唱した。

ともすれば戦前に回帰して憲法9条をなくそうとする動きが絶えない中、2004年に大江健三郎氏や井上ひさし氏らが「九条の会」を発足させた。「憲法九条を激動する世界に輝かせたい。日本と世界の平和な未来のため、日本国憲法を守るという一点で手をつなごう」と訴えた。その大江氏も井上氏も亡くなった。2018年9月には新たに12人の世話人会が設置された。私はこの12人の一人で、「九条の会」を通じて憲法9条を守り広める活動もするようになった。『9条を活かす日本〜15%が社会を変える』（新日本出版社）という本も、この年に出版した。

誰かがやってくれるのを待つのでは、いつになっても平和はやってこない。一人ひとりが日ごろから「積極的平和」を実践してこそ、やがては地球の平和に結びつく。自分の生活の中から声を上げ、具体的に社会に働きかけていこうではないか。

※コスタリカと連携して

行動の原動力が知識だ。現地を自分の目で見れば、目を見開かされる。2012年、今は横浜にある富士国際旅行社から声をかけられて、「憲法を活かすコスタリカに学ぶ旅」というスタディ・ツアーを企画した。2015年からはほぼ毎年、実施している。

たとえば２０２０年1月に実施した9日間のツアーには、北は新潟県から南は沖縄県まで全国から21人が参加した。初日はアメリカのアトランタ経由でコスタリカに到着した。２日目に専用バスでコーヒー農園を見学し、北部の自然豊かなサラピキのエコ・ロッジで泊まり、夜には私がコスタリカの環境政策を講演した。３日目は川をボートで回り野生の生物を観察し、自然保護園で珍しいカエルやハチドリなどを見た。カカオの実からチョコレートを作る体験をして首都へ。

４日目は選挙最高裁判所と国会、国立博物館を訪ね、ジャーナリストからこの国の平和政策や問題点を聞いた。５日目は私が2回目の講演でコスタリカの平和や教育を語り、国連平和大学と憲法裁判所を訪れ、大統領を憲法違反で訴えたロベルト・サモラ氏と交流した。新設された憲法裁判所の建物を訪れた海外からの視察団は私たちが初めてだった。

６日目は早朝に世界一美しいと言われる鳥ケツァールを見たあと国立劇場を見学し、人権の砦であるオンブズマン事務所を訪れた。７日目はコスタリカを出発してアトランタで1泊し、日本に到着したのは9日目の午後だ。

ツアーでは毎回、新しい訪問者、訪問地を加えている。平和憲法を制定した立役者、故フィゲーレス大統領の邸宅でカレン夫人に話をうかがったことは今でも記憶に新しい。

「憲法を変えて再び軍備を正当化しようとする今の日本の動きを心配しています。今、闘うべきは気候変動です。これこそ今の人類が立ち向かわなければならない闘いです。人類だけでなく多様な生物を護るためにも、気候変動や人類の調和のために闘わなければなりません、人類同士が戦争をしている場合ではないのです」

人間同士が戦争をしている場合ではない……それはロシアがウクライナを侵略した今、まさに切実に響く言葉だ。コスタリカに学ぶことはまだまだ多い。平和憲法という共通点を基盤に、しっかりと連携して、世界の平和という目標のために進んでいこう。それが日本の、そして私たち一人ひとりのこの世の存在意義にもなる。コスタリカに学んで日本をより良い社会に変え、コスタリカとともに世界に平和を輸出しようではないか。

コスタリカ大学が出版した『コスタリカの歴史』(「Historia de Costa Rica」、英語版は「THE HISTORY OF COSTA RICA」)という本がある。同名の邦訳が明石書店から出ている。最後の章の見出しは「コスタリカの特異性」だ。独裁や不平等が当たり前の中南米でコスタリカは政治の民主主義を築き高度な社会正義を達成した。1950年から一度も途切れることなく民主主義的な生活を享受してきた中南米で唯一の国だ、と誇る。

実際、この半世紀の中南米はクーデター、内戦、革命、社会的混乱が続いた。そんな地域でコスタリカだけが平和で民主的な社会を建設し維持できたことは、思えば不思議だ。しかし、実際にこの社会が出来上がった過程を知ると不思議さが拭い去られる。すべては理想を求めて行動し、試行錯誤した努力の成果なのだ。

◆——あとがき

初めてコスタリカを訪れてから間もなく40年になる。日本から最も遠い戦乱だらけの中南米に、ここにだけぽっかりとおとぎ話のような国があるのが信じられなかった。なぜ平和を実現できたのか知ろうと、10回以上にわたってこの国を訪れるたびに新しい事実を知って感動に包まれた。

コスタリカを視察した弁護士たちと「コスタリカ平和の会」を立ち上げたのは、朝日新聞の米国特派員をしていた２００２年だった。03年にはこの会を核としてコスタリカ平和憲法の立役者、故フィゲーレス大統領の夫人カレンさんを日本に招き、04年には大統領を憲法違反で訴えて勝訴したロベルト・サモラ君が来日し、いずれも全国各地で講演会が行われた。２０１７年には映画「コスタリカの奇跡～積極的平和国家のつくり方」が上映され、全国で評判となった。私も各地でコスタリカの実情を知らせる講演を行い、講演集『活憲の時代～コスタリカから9条へ』（２００８年、シネフロント社）を出版、それまでの護憲とは違って、コスタリカにならって憲法を活用する活憲を訴えた。２０１７年にはコスタリカのルポを書き込んだ『凛(りん)とした小国』（新日本出版社）を出版した。それ以後もスタディツアーを組織してコスタリカを毎年のように訪れた。

２０２０年、朝日新聞の先輩記者で社会部長、科学部長をつとめた85歳の柴田鉄治さんから、「もう、年齢から言って、後がない。最後に平和を訴える本を出版したい。僕が南極からの平和を書くから、君がコスタリカからの平和を書いてくれ。共著を出そう」と提案され、すぐに同意した。柴田さんは南極観測隊に三度も参加し、南極に魅入られたのだ。本書の出版元、高文研の山本邦彦さんに相談し、「世界中から戦争をなくすには」というテーマや構成案も決まった。私は原稿用紙80枚分を書いた。ところが、わずか4か月後、柴田さんは腎臓病のため亡くなってしまった。娘さんによれば、柴田さんは最後の日々、床に伏していたが熱が下がるとパソコンの前に行って原稿を書き、そのまま朦朧として倒れることが何度も続いたという。「最後まで執念を持っていた」のだ。

遺稿となった文章の一部を紹介しよう。

「ジャーナリズムの役割は、平和を守ることだと言い換えてもいいが、平和には二種類ある。誰もが武器を持たず、争いを武力で解決しようとはしない『真の平和』と、軍事力のバランスによって保たれる『仮の平和』である」

「いま、この地球上に『仮の平和』ではなく、『真の平和』を実現しているところが二つある。南極大陸と中南米の小国・コスタリカである。南極大陸は、面積が日本の40倍もある世界で五番目に大きい大陸だが、1959年に制定され、61年に発効した南極条約によって、『国境もなければ、軍事基地もない、人類の共有財産ともいうべき平和の地』になっているのだ」

「こうした南極体験から『世界中を南極にすれば、私の夢である世界中から戦争をなくすことができるかもしれない』と考えるようになった。地球を一つの国家にして、各国を州や県にすれば、軍隊は要らなくなり、戦争もなくせる、と考えたわけである。

そこで私の残りの人生を『南極の語り部』として、『世界中を南極にしよう!』『愛国心でなく、愛地球心で』と叫び続けていこう、と考えたのである」

それから3年。コロナ禍がはびこりロシアはウクライナに侵攻し、世界は大きく動揺した。日本でも軍拡を叫ぶ声が高くなり、九州の南の南西諸島にミサイル基地が造られた。今年3月、3年ぶりにコスタリカを訪問した私は、今こそ平和に歩むコスタリカを詳しく紹介しなければならないと強く感じ、あらためて本書を世に問おうと志した。

共著はかなわなかったが、柴田さんは『世界中を「南極」にしよう』(2007年、集英社新書)で持論を展開している。本書と併せて、ぜひ読んでいただきたいと願う。

本書の出版に3年ごしで面倒を見ていただいた高文研の山本邦彦さんには心から感謝している。コスタリカへのスタディツアーを何度も催していただいた横浜の富士国際旅行社の太田正一社長には本当にお世話になった。同社の社員として現地に同行し、コロナ禍で退職後は国連平和大学に留学した遠藤茜さんには、留学記を掲載させていただいた。

本書は柴田鉄治さん、そしてコスタリカツアー通訳やガイドなどでお世話になり今年5月に病死された阿部眞寿美さんのお二人に捧げたい。

2023年9月15日　コスタリカの独立記念日、私の誕生日でもある日に

伊藤　千尋

伊藤　千尋（いとう・ちひろ）

1949年、山口県生まれ、東大法学部卒。74年、朝日新聞に入社しサンパウロ支局長（中南米特派員）、バルセロナ支局長（欧州特派員）、ロサンゼルス支局長（米州特派員）を歴任した。2014年に退職し、フリーの国際ジャーナリスト。「九条の会」世話人。ＮＧＯ「コスタリカ平和の会」共同代表。これまで世界82か国を現地取材した。

主著に『キューバ～超大国を屈服させたラテンの魂』『新版　観光コースでないベトナム』（高文研）『非戦の誓い～「憲法９条の碑」を歩く』（あけび書房）『９条を活かす日本～15％が社会を変える』『凛とした小国』（新日本出版社）『世界を変えた勇気―自由と抵抗51の物語』（あおぞら書房）『13歳からのジャーナリスト～社会正義を求め世界を駆ける』（かもがわ出版）『反米大陸』（集英社新書）『燃える中南米』（岩波新書）など。

公式ＨＰは https://www.itochihiro.com/

コスタリカ
「純粋な人生」と言いあう
平和・環境・人権の先進国

●二〇二三年一一月一日――――第一刷発行
●二〇二四年　三　月　一　日――――第二刷発行

著　者／**伊藤　千尋**

発行所／**株式会社　高文研**
東京都千代田区神田猿楽町二―一―八
三恵ビル（〒一〇一―〇〇六四）
電話０３―３２９５―３４１５
https://www.koubunken.co.jp

印刷・製本／三省堂印刷株式会社

★万一、乱丁・落丁があったときは、送料当方負担でお取りかえいたします。

ISBN978-4-87498-862-6　C0036